D0586561

 OPENBARE BIBLIOTHEEK
JUBBEGA

BARISTA! – KOFFIE VERKEERD

ELSBETH WITT

Barista!
Koffie verkeerd

Uitgegeven door Xander Uitgevers BV
Hamerstraat 3, 1021 JT Amsterdam

www.xanderuitgevers.nl

Omslagontwerp: Studio MV
Omslagbeeld: Getty Images/George Doyle
Zetwerk: Michiel Niesen/ZetProducties

Copyright © 2013 Elsbeth Witt
en Xander Uitgevers BV, Amsterdam

Eerste druk 2013

ISBN 978 94 0160 182 5 / NUR 301

Niets uit deze uitgave mag openbaar worden gemaakt
door middel van druk, fotokopie, internet of op welke andere wijze ook,
zonder voorafgaande schriftelijke toestemming van de uitgever.

De personages en gebeurtenissen afgebeeld in deze roman zijn fictief.
Elke overeenkomst met bestaande personen, levend of dood,
berust op louter toeval.

Voor Hans en Henriëtte

I had some dreams
They were clouds in my coffee

– Carly Simon

1

'Luigi!' Laura staat in het magazijn van de koffiebar en roept haar baas.

'Luigi, kun je...' gaat ze verder.

Ze staat op het punt om de deur van zijn kantoor open te doen, maar dan hoort ze dat hij aan de telefoon zit. Ze besluit om hem niet te storen en de koffiebonen zelf bij het apparaat te zetten.

De juten zak is te zwaar om te tillen. Ze pakt de bovenkant vast en sleept het ding over de grond het magazijn uit en de koffiebar in. Als ze halverwege de toonbank is, blijft ze hijgend staan. Ze heeft geen goede conditie en het helpt ook niet dat ze vanochtend alleen heeft ontbeten met een espresso. Aan een tafel bij het raam zit een stelletje dat wel vaker komt 's ochtends. Zo schattig, denkt ze, samen nog even een cappuccino drinken voordat je aan je werkdag begint. En een man is ook echt handig voor het verslepen van zware dingen. Een luide kuch onderbreekt haar gemijmer. Ze draait zich om. Een meisje met een knot op haar hoofd, een oversized houthakkersblouse en een grote wollen sjaal om haar nek staat bij de kassa.

'Ik kom eraan,' roept ze. Ze zakt door haar knieën en trekt

de zak over het hobbelige tapijt naar de toonbank. De stof snijdt in haar handen.

'Eén cappuccino en één latte,' zegt het meisje, zodra Laura in de buurt van de kassa is. 'En wat zijn dat voor koekjes?' vraagt ze, terwijl ze de inhoud van de glazen stolp op de toonbank bestudeert.

'Cantuccini,' zegt Laura, die haar bezwete handpalmen afveegt aan de theedoek aan haar schort. 'Italiaans amandelbiscuit.'

'Hebben jullie geen muffins of brownies?'

'Nee.'

Het meisje fronst. 'Oké. Twee van die koekjes dan. En kan die latte met sojamelk?'

Vanuit haar ooghoek ziet Laura de voordeur van de koffiebar opengaan. Het meisje blokkeert haar zicht, dus ze gaat op haar tenen staan om het beter te kunnen zien. Het is bijna half negen, het tijdstip dat haar nieuwe favoriete klant vaak binnenkomt voor een dubbele espresso.

'Of een andere plantaardige melk?' gaat het meisje verder. 'Steeds meer mensen lijden aan lactose-intolerantie, hoor. Of weet je niet wat dat is?'

Laura ziet tot haar teleurstelling dat het niet haar favoriete klant is, die binnenkomt, maar een blonde vrouw in een mantelpakje. Ze richt haar aandacht weer op het meisje. 'Ik weet wat lactose-intolerantie is,' antwoordt ze. Het meisje denkt waarschijnlijk dat ze te dom is om een woord van meer dan drie lettergrepen te snappen en dat ze niets anders kan dan koffie zetten en tafels afnemen. 'We hebben alleen koemelk.'

'Nou, ik vind echt dat jullie daar iets aan moeten veranderen,' reageert het meisje verontwaardigd.

'Daar ga ik niet over. Als je een suggestie of klacht hebt, moet je bij de baas zijn. Hij heet Luigi.' Ze gebaart met haar hoofd naar de andere kant van de zaak, waar een gedrongen, kleine man in een iets te strak zwart T-shirt en te veel gel in zijn haar het magazijn uit komt lopen. Hij veegt met de achterkant van zijn hand het zweet van zijn voorhoofd en kijkt nors.

'Laat maar,' mompelt ze. 'Maak van die latte maar een gewone koffie, dan.'

'Prima.' Laura draait zich om naar het glimmende espressoapparaat. Ze snapt wel dat het meisje geen zin heeft om Luigi aan te spreken. Haar baas ziet er niet bepaald uit als iemand die openstaat voor een discussie over koemelk. Ze pakt de filterdrager en zet hem onder de bonenmaler. In de weerspiegeling van het apparaat ziet ze hoe haar staart is losgeraakt en haar bruine haren aan haar gezicht plakken. Snel stopt ze de losgeraakte plukken achter haar oor. Als ze zich weer omdraait met de bestelling, laat ze van schrik bijna de koffie vallen. Hij is er. Hij staat achter de blonde vrouw. Ze heeft de voordeur niet gehoord. Het lijkt wel of hij geluidloos binnen is gekomen. Hij maakt oogcontact en glimlacht. Laura's hart maakt een sprongetje. Hij heeft vriendelijke, twinkelende ogen. Sinds een paar weken komt hij bijna iedere dag in de koffiebar. Op maandag en woensdag haalt hij aan het begin van de dag een espresso en op dinsdag en donderdag komt hij vaak tegen sluitingstijd. Dan bestelt hij meestal thee. Als Laura degene is die hem helpt, hebben ze altijd een leuk gesprek. Hij vraagt haar of het druk is in de zaak of zegt iets over het weer buiten. Heel suf, eigenlijk. Het gaat nergens over. Maar het is iedere keer zo'n fijn moment. De andere klanten zijn vaak gehaast. De studenten zijn alleen maar met elkaar bezig en de zakenmensen zitten met hun gedachten alweer bij de volgende vergadering. Daarom kijkt ze zo uit naar zijn komst, denkt ze, terwijl ze wisselgeld aan het meisje geeft. Omdat hij vriendelijk is en haar ziet staan.

De blonde vrouw wil alleen een flesje water en daarna is de leuke man aan de beurt.

'Hé, jij,' zegt hij. Zijn zwarte haar is nat geworden van de regen en plakt aan zijn huid.

'Hé,' antwoordt Laura. Het bloed stijgt naar haar wangen en ineens maakt ze zich zorgen over haar slordige haar. Het is hier warm, denkt ze. Als ze maar niet rood wordt, want straks gaat hij er nog iets van denken. Luigi heeft de verwarming vast weer op drieëntwintig graden gezet om de zaak in Italiaanse sferen te houden.

'Heb je het warm?' vraagt hij tot overmaat van ramp. 'Want buiten is het behoorlijk fris.'

'Euh... ja, een beetje.'

'Niet te hard werken, hè?' Hij knipoogt. 'En mag ik een dubbele espresso van je?'

'Ja, natuurlijk.' Ze draait zich snel om om de espresso te maken, zodat hij haar rode hoofd niet meer kan zien. Hij ruikt naar leer en regen, denkt ze, terwijl ze een kopje onder het espressoapparaat zet. Onmiddellijk schudt ze die gedachte uit haar hoofd. Wat kan het haar schelen hoe hij ruikt? Natuurlijk ruikt hij naar leer en regen. Hij heeft een leren jas aan en het regent buiten. 'Duh,' mompelt ze zachtjes tegen zichzelf.

'Zei je iets?' vraagt hij.

'Nee, nee,' zegt ze terwijl ze zich naar hem omdraait. 'Of... euh... alleen, of je er nog iets bij wilt. Wil je er nog iets bij? Amandelbiscuit, of... nou ja, zo veel meer hebben we niet eigenlijk.'

'Nieuw beleid van de baas?' zegt hij lachend. 'Moeten die taaie koekjes van jullie op?'

Laura moet lachen. Haar blik schiet snel opzij, maar ze ziet dat Luigi buiten gehoorafstand staat.

'Nee, hoor,' antwoordt ze. 'Die taaie koekjes verkopen zichzelf. Genoeg hongerige studenten die er voor zwichten iedere ochtend.'

'Jullie zouden best iets van muffins of zo kunnen verkopen,' stelt hij voor.

'Je bent niet de enige die dat vindt,' zegt ze. 'Maar ik geloof dat Luigi dat niet in een traditionele Italiaanse koffiebar vindt passen. Ik zal het er nog eens met hem over hebben.'

'Moet je doen. De muffins aan de overkant zijn echt heerlijk. Jammer dat de koffie er niet te drinken is en je een uur in de rij moet staan.'

Laura grinnikt. Schuin tegenover Barista! zit sinds kort een vestiging van Starbucks. Luigi is in ontkenning en wil het er absoluut niet over hebben. Wanneer iemand er iets over zegt, snuift hij woest en schudt hij zijn hoofd. Laura en de andere barista's durven de naam van de koffietent niet meer uit te spreken, uit angst dat Luigi ontploft.

'En het personeel is ook een stuk minder leuk,' voegt hij op bijna fluisterende toon toe.

Laura slikt. Haar hart bonst. Was dat flirterig bedoeld? Net op dat moment gaat de voordeur open en komt Laura's collega en vriendin Iris binnen.

'Hoi!' roept Iris, terwijl ze haar paraplu uitschudt en haar muts van haar blonde haren trekt.

'Hé, hoi!' roept Laura, dankbaar dat Iris haar uit dit ongemakkelijke moment redt. 'Euh… twee euro zeventig, alsjeblieft,' zegt ze tegen de man.

Hij glimlacht alleen maar en maakt geen aanstalten om zijn portemonnee te pakken. Dan wijst hij naar de toonbank. Hij had het al neergelegd.

'O, dank je!' zegt Laura. Ze pakt de muntjes op, maar ze glippen uit haar handen en vallen op de grond. 'Dat pak ik zo wel op,' mompelt ze. Ze kan wel door de grond zakken van schaamte.

'Fijne dag!' zegt hij, terwijl hij zijn espresso pakt en naar haar glimlacht. Hij draait zich om en loopt weg.

Laura haalt een hand door haar haar en zucht. Het is hier echt warm. Ze zakt door haar knieën en raapt het geld van de grond. Wat een schaamtemoment, denkt ze. Ze heeft nog nooit geld laten vallen.

'Wat stond jij daar nou te stuntelen?' zegt Iris, die haar zwarte schort achter haar rug vastknoopt en naast Laura achter de bar komt staan. Ze heeft haar blonde, natte haar opgestoken in een elegante knot.

'Niets.'

Iris glimlacht. 'Vind je die man leuk?'

'Nee!' antwoordt ze veel te snel.

'Ja, dus.'

'Nee, echt niet! Je kent me toch. Het is totaal mijn type niet!' Iris woonde vroeger bij Laura in het studentenhuis. Ze zijn al ruim zes jaar goede vriendinnen en sinds een maand ook collega's. 'De ideale man' is hun favoriete gespreksonderwerp. Iris heeft die van haar inmiddels gevonden. David en zij vormen een perfect stel en wonen nu samen. Laura is nog steeds op zoek naar haar *Mister Right*.

'Ja, ja,' verzucht Iris. 'Lange, blonde jongen met krullen en sproeten. Maar denk je niet dat het mogelijk is dat je op een ander type valt?'

Laura schudt resoluut haar hoofd. 'Nee. Nee, echt niet. Ik bedoel, je hebt hem toch gezien? Donker haar, leren jas... en volgens mij is hij Arabisch... achtig.'

'Ja, dus?' Iris trekt verbaasd haar wenkbrauwen op.

'Nee, zo bedoel ik dat niet!' zegt Laura. 'Jezus, Iris. Ik bedoel gewoon dat dat mijn type niet is. En bovendien is hij kleiner dan ik.'

Iris lacht. 'Nee, joh, doe niet zo gek. Wat ben jij, één zeventig? Hij is niet lang, maar hij is echt niet kleiner dan jij. En ik vind hem wel mysterieus. Het heeft wel iets. Vind je niet?'

Voordat Laura kan antwoorden, komt Luigi uit het magazijn gewandeld. 'Iris, kun jij me even met iets helpen in het magazijn?' zegt hij met zijn Brabantse accent. Laura moest er om lachen toen ze hem voor het eerst ontmoette. Een Italiaan met een zachte G. 'Laura, kun jij de afwasmachine uitruimen?' zegt hij.

Iris loopt naar Luigi toe. 'We hebben het hier later nog wel over,' zegt ze over haar schouder tegen Laura, terwijl ze haar een vette knipoog geeft.

Het is kwart voor negen en er zijn geen klanten in de koffiebar. Dit gaat eigenlijk iedere doordeweekse ochtend zo. Laura vraagt zich steeds vaker af hoe Luigi de eindjes aan elkaar knoopt. Het lijkt wel of het iedere dag rustiger wordt. Koffietentjes zijn hot. Ze schieten als paddenstoelen uit de grond. Dit zou een gunstige ontwikkeling moeten zijn, maar Luigi doet te weinig om mee te komen met zijn nieuwe concurrenten. Nadat de tienmiljoenste student vorig jaar vroeg of ze Wi-Fi hadden, is Luigi overstag gegaan. Maar daar houdt het wat hem betreft mee op. Hij wil geen Facebookpagina en geen website. En geen muffins.

Barista! gaat om half acht open. Eerst komen de mensen die onderweg zijn naar hun werk. Mannen in pak en chic geklede vrouwen. Af en toe een vroege student. Dan is het even stil en rond kwart over negen komen er meer studenten. De universiteit is hier om de hoek en de meeste colleges beginnen om half tien of kwart voor tien. Dit weet Laura maar al te goed, want tot twee jaar geleden was ze zelf nog student. Na een bachelor geschiedenis en een master Interculturele Communicatie zag de banenmarkt er niet veelbelovend uit. Ze gooide er nog een master *Conflict Studies and Human Rights* tegenaan en toen was het uit met de pret. Ze had gehoopt dat haar stage bij een ontwikkelingsorganisatie tot een baan zou leiden, maar het enige wat ze haar konden bieden was een onbetaalde aanstelling. Met 'werkervaring' en 'goed voor op je cv' koop je echter geen boterhammen, dus dit aanbod had ze afgeslagen. Ondertussen zat Luigi behoorlijk verlegen om personeel en draaide ze steeds meer uren bij Barista!, waar ze tijdens haar studie een dag per week had gewerkt. Voor ze het wist, werkte ze hier fulltime en dat is nu al bijna een jaar geleden.

Iris werkt sinds een maand ook bij Barista!. Ze heeft psychologie gestudeerd en komt ook niet echt aan de bak. Perfect is anders, vinden ze allebei. Maar het is beter dan niets en het is gezellig met zijn tweeën.

Laura ruimt de afwasmachine uit en loopt achter de toonbank vandaan naar de voorkant van de zaak. Ze schuift een paar stoelen aan en gooit een verdwaald servetje in de prullenbak. Ze kijkt naar buiten. Barista! ligt aan een drukke weg in het centrum van de stad. Bussen en auto's razen voorbij en het asfalt glimt van de regen. De koffiebar heeft grote ramen, met in het midden een glazen voordeur. Ondanks al dat glas, is het er altijd een beetje donker en op een novemberochtend als deze is het al helemaal nodig om alle verlichting binnen aan te doen. De inrichting is een vreemde mix van ouderwets en modern. Op de donkere houten vloer liggen verschillende Perzische tapijten. Om het geluid een beetje te dempen, zegt Luigi. Er staan kleine houten tafeltjes met wankele stoelen en in het midden een grote, robuuste leestafel die weer helemaal niet bij de rest van het interieur past. Boven de zwarte toonbank hangen moderne, industrieel uitziende lampen. Toen

Laura hier voor het eerst kwam, dacht ze dat een of andere hippe binnenhuisarchitect hard zijn best had gedaan om het te laten lijken of alles lukraak bij elkaar was gezocht. Maar het grappige is dat Luigi het écht blindelings bij elkaar heeft gezocht. Hij geeft niets om de inrichting. Goede koffie verkoopt zichzelf, zegt hij altijd.

Laura kijkt naar buiten en denkt aan wat Iris net zei. Een mysterieuze man... Hij heeft echt mooie ogen... en mooi haar. En voor zover ze het kan beoordelen, heeft hij een gespierd lichaam. Maar wat moet ze met een mysterieuze man? Ze heeft liever iemand die gewoon lekker duidelijk is.

Haar dagdroom wordt onderbroken door Luigi en Iris, die lachend het magazijn uit komen. Het ochtendhumeur van haar baas is blijkbaar verdwenen. Iris krijgt iedereen aan het lachen, denkt ze. Die heeft altijd een goed humeur.

'Laura,' zegt Luigi. 'Kom even naar de bar nu het nog rustig is. Ik moet jullie iets vertellen.'

2

'Dus Mariska en die jongen... hoe heet hij ook alweer...' Laura fronst en probeert op de naam van haar collega te komen.

'Ray,' zegt Iris.

'O ja,' gaat Laura verder. 'Mariska en Ray komen niet meer terug?'

'Nee,' zegt Luigi met een zucht. 'Ray heeft hier in totaal maar drie keer gewerkt. Hij kon de hele tijd niet of hij was ziek en in de herfstvakantie was hij een week op vakantie. Nu heeft hij een nieuw rooster en komt het hem helemaal niet meer uit. Mariska heeft ook een nieuw blok van haar studie.' Luigi zucht weer en veegt de achterkant van zijn hand over zijn bezwete voorhoofd. 'Ik had haar al ingeroosterd voor twee middagen per week, maar ineens bleek dat haar vakken niet doorgingen en dat ze beter stage kon gaan lopen dit blok. Ze werkt de komende drie maanden fulltime bij een tijdschrift. Misschien dat ze daarna nog terugkomt. Ik heb echt pech met studenten dit jaar. Het is beter als ik nog een fulltime kracht aanneem. Iemand die drie of vier dagen per week kan werken. Geen gedoe met roosters, blokken, uitvallende vakken of stages.'

'Ik weet wel iemand,' zegt Iris.

'Ik ook,' zegt Laura. Ze kent genoeg mensen die zitten te springen om een baan. 'Desnoods in een koffietentje,' roepen ze altijd, al weet Laura niet of ze dat echt menen.

'Niet nodig,' zegt Luigi. 'Ik heb al iemand. Ik kreeg een maand geleden of zo een open sollicitatie per e-mail. Ik had de mail bewaard omdat het zo leuk geschreven was. Het meisje kwam zo enthousiast over. Ik heb haar zaterdag ont-moet en meteen aangenomen. Ze begint morgen. Ze komt vandaag om een uur of zes even langs, zodat wij haar eerst wat dingen kunnen uitleggen. Laura, wil jij iets langer blijven vandaag?'

Laura knikt. 'Prima, hoor.'

Luigi kijkt ernstig. 'Ik moet iemand aannemen, want we redden het anders niet, maar ik vraag me af of het nog zin heeft.'

'Hoezo?' vraagt Laura bezorgd.

'Het gaat niet zo goed. Financieel gezien. Maar daar moet ik jullie misschien niet mee lastigvallen.' Hij kijkt terneerge-slagen naar de grond.

'Hé, niet bij de pakken neer gaan zitten,' zegt Iris. 'Het trekt vast wel weer aan.'

Laura knikt. 'In de zomer is het altijd rustig en we hebben nu gewoon iets langer nodig om op gang te komen, maar het komt wel weer goed.' Ze doet haar best om Luigi op te beuren, maar ze is er niet zo zeker van of het ook echt weer drukker gaat worden. Het lijkt dit jaar beduidend rustiger dan vorige jaren.

'Ja,' zegt Luigi. 'Het komt wel weer goed.' Maar Laura ziet aan zijn ogen dat hij er niets van gelooft.

'Aan de slag, nu,' zegt hij. Hij staat op van de barkruk en veegt zijn handen aan zijn schort af.

'Euh... Luigi?' zegt Laura. 'Nu we het er toch over hebben... ik kreeg vanochtend weer een paar vragen over muffins. Ik weet dat ik het vaker heb gezegd, maar ik denk echt dat we meer omzet kunnen draaien als we 's ochtends iets te eten aanbieden.'

Luigi haalt een hand door zijn plakkerige gelhaar. 'Muffins... muffins...' mompelt hij. 'Er liggen toch cantuccini? En om elf uur komt de bakker...'

'Met broodjes die om twaalf uur altijd al op zijn,' onderbreekt Laura hem.

'Oké, meer broodjes misschien. Dat is een goed idee. Maar een echte Italiaan heeft 's ochtends niets meer nodig dan een goede espresso.' Luigi draait zich om en loopt naar het magazijn.

'Hier word ik zo moe van,' verzucht Laura, zodra Luigi in het magazijn is. 'Ik heb hier nog nooit een "echte Italiaan" gezien! Luigi zegt net zelf dat het niet goed gaat met Barista!, maar hij staat nergens voor open.'

Iris bijt op haar lip. 'Hij staat heus wel open voor nieuwe ideeën. Je moet het alleen iets anders brengen.'

'Sinds wanneer ben jij de Luigi-expert?' lacht Laura. 'Hij is altijd zo snel op zijn teentjes getrapt.'

'Dat zijn zijn roots,' zegt Iris.

'Zijn Brabantse roots?'

'Ha, ha. Je weet heus wel wat ik bedoel.'

'Iris... Luigi was vier toen hij met zijn ouders naar Vught verhuisde. Hij is Brabantser dan Guus Meeuwis.'

Iris lacht. 'Misschien moeten we Bossche bollen op het menu zetten.'

'Goed idee. Maar even serieus... ik zat te denken dat we iets met Sinterklaas moeten doen. Aan de overkant is het een en al kerst. Dat valt te verwachten van zo'n Amerikaanse keten. Maar als wij nou een Hollands feest nemen... en daar iets mee doen...' Laura tikt met haar wijsvinger op haar lippen. 'We kunnen een bordje met "taaitaai" voor de stolp met cantuccini zetten. Want dat is in principe gewoon wat het is.'

'Laat Luigi het maar niet horen...' lacht Iris.

'Kun jij je baktalenten niet inzetten?' Laura weet uit eigen ervaring dat Iris fantastische koekjes en taarten kan bakken. Sinds ze samenwoont met David bakt ze niet zo vaak meer – David houdt niet van zoet – maar Laura weet zeker dat Iris het mist.

'Dat is misschien wel een idee. Ik ga nadenken over het Sinterklaas-thema,' zegt Iris. 'Concentreer jij je ondertussen maar op Mystery Man.'

'Iris!' Laura pakt een theedoek van de bar en slaat deze speels tegen het schort van haar vriendin aan. 'Ik wil Mystery Man niet. Ik vind hem gewoon aardig.'

'Uhu.' Iris rolt met haar ogen. 'Brad Pitt lijkt me ook heel aardig.'

Laura staat op het punt om Iris weer te slaan met de theedoek, maar de voordeur gaat open en er komt een groep jongens binnen. Ze schudden hun lange haar uit. Het lijkt wel een stel natgeregende honden, denkt Laura. Ze springt op van haar barkruk en loopt naar de andere kant van de toonbank.

'Brad Pitt ís volgens mij ook hartstikke aardig,' fluistert ze snel naar Iris, voordat de eerste natte hond zijn bestelling komt doen.

De rest van de dag verloopt rustig. Luigi zit voornamelijk in het kantoortje achter het magazijn. Hij is druk in de weer met papieren en als er 's middags een boekhouder langskomt, vertoont hij zich urenlang niet in de koffiebar. Laura en Iris kunnen het gemakkelijk met zijn tweeën aan. Als het regent is het altijd rustig, maar Laura maakt zich toch een beetje zorgen. Luigi lijkt veel aan zijn hoofd te hebben.

Om half vijf zitten er nog drie meisjes aan een tafeltje bij het raam. Verder is er niemand. Laura loopt naar de grote leestafel in het midden van de bar en legt de tijdschriften en kranten recht. Er ligt nog een Volkskrant van afgelopen zaterdag. Ze schuift de krant over de tafel naar zich toe. Deze moet in de papierbak. Toch kan ze het niet laten om snel even het katern met vacatures open te slaan.

'Betrapt!'

Ze springt op en ziet dat Iris naast haar staat. 'Je laat me schrikken!'

'Op zoek naar een andere baan?' vraagt Iris.

'Altijd. Ik blijf kijken of er iets bij staat. Jij niet dan?'

'Dat heeft voor mij niet zo veel zin nu. Ik wil gewoon ingeloot worden voor de opleiding tot GZ-psycholoog.'

Totdat ze aan haar vervolgopleiding kan beginnen, zijn er eigenlijk niet zo veel mogelijkheden voor Iris. Je zou zeggen dat ze in de zorg staan te springen om personeel, maar niet om psychologen, blijkbaar.

'Ik kan ook echt niets vinden in de culturele sector,' verzucht Laura. 'Het lijkt overal slecht te gaan. De koffiebranche daarentegen...' Ze gebaart naar de lege tafels.

'Komt door de regen!' zegt Iris opgewekt.

'Ik ga die dames bij het raam maar eens vragen of ze nog iets willen drinken.'

Iris slaat de krant dicht. 'Ik gooi deze wel weg.'

Laura loopt naar de tafeltjes bij het raam. Het groepje meiden zit met laptops te werken. Ze maken gebruik van de gratis Wi-Fi en hebben de afgelopen vier uur slechts twee keer een kop thee besteld.

'Willen jullie nog iets drinken?' vraagt ze. De meiden kijken op. Twee van hen hebben een indrukwekkend grote knot op hun hoofd. Het is vast een trend, denkt Laura. Toen ze zelf nog studeerde, was ze er nooit zo mee bezig, maar nu ze zich niet meer hele dagen tussen studenten bevindt, vallen kleding- en kapseltrends haar op. De knotten zien er zo nonchalant uit, maar ze weet zeker dat het veel tijd kost. Als ze haar eigen slappe, bruine lokken zo wil krijgen, heeft ze een halve bus haarspray nodig.

'Euh... ik wil nog wel een latte,' zegt een van de meiden.

Laura kijkt vragend naar de andere twee studentes.

'Euh... even denken hoor...' zegt een ander meisje, dat hyperactief op haar kauwgom kauwt.

Laura hoort de voordeur opengaan. Vanuit haar ooghoek ziet ze grote zwarte wielen van een kinderwagen de drempel over komen.

'Doe ook maar een latte,' zegt kauwgommeisje. 'Of nee, wacht… een muntthee misschien.'

Achter haar hoort Laura Iris hoesten.

'Ja, een muntthee, alsjeblieft.'

Het volgende meisje wil ook een muntthee en het eerste meisje twijfelt nu of ze ook een muntthee moet nemen, alsof ze de rest van de groep verraadt als ze als enige een latte neemt.

Iris kucht nu overdreven hard. Waarschijnlijk wil ze Laura's aandacht trekken omdat er een überschattige baby in de kinderwagen zit. Iris is gek op kinderen. Laura op zich ook wel, maar ze staart niet in iedere kinderwagen die voorbij komt. De meisjes zijn eruit. Het worden drie cappuccino's.

Laura draait zich om. En verstijft. Voor de toonbank staat een donkerpaarse kinderwagen met grote, zwarte wielen. In de kinderwagen zit een jongetje. Een jaar of anderhalf, schat Laura. Hij draagt een groen regenjasje en heeft donker haar en grote donkere ogen. Hij trappelt vrolijk met zijn beentjes en is inderdaad enorm schattig. Maar dat is niet de reden dat het voelt alsof haar enkels van lood zijn en ze geen stap meer kan verzetten.

Naast de kinderwagen, met één hand nonchalant op de handgreep – zodat er geen twijfel bestaat over het feit dat het zíjn wagen is – staat Mystery Man.

Laura's mond valt open. Maar als ze nu niet snel beweegt,

gaan die meiden achter haar denken dat ze oefent voor levend standbeeld. En straks ziet Mystery Man dat ze zo staat te staren. Hij staat te kletsen met Iris en heeft haar waarschijnlijk nog niet opgemerkt. Met grote passen loopt ze naar de toonbank. Alsof het haar niets kan schelen. Want het kan haar ook niets schelen. Toch? Een man die totaal niet haar type is, blijkt een kind te hebben. Nou en? Ze loopt zonder hem aan te kijken naar de andere kant van de toonbank. Met haar rug naar hem toe, trekt ze een la open om er muntblaadjes uit te pakken, totdat ze zich bedenkt dat de meisjes cappuccino willen. Ze draait zich om. En kijkt hem aan.

'Hoi!' zegt hij opgewekt. Zijn ogen stralen.

'Hoi,' antwoordt Laura. Ze hopt nerveus van haar ene op haar andere been en stopt een lok haar achter haar oor.

'Ik bestelde net een thee bij je collega.'

'O. Oké. Ik ging net koffie maken.' Er valt een stilte. Iris staat als bevroren met een kartonnen beker thee in haar hand, alsof ze op toestemming wacht om de hete drank te overhandigen. Laura draait zich uiteindelijk weer om.

'Hier is je thee,' hoort ze Iris zeggen.

Mystery Man betaalt, Iris bedankt hem en dan kan ze het niet meer horen omdat de melkopschuimer te veel lawaai maakt. Als ze zich weer omdraait, loopt hij naar de voordeur. Als hij om de kinderwagen heenloopt om de deur open te doen, draait hij zich nog even om. Hij knikt naar haar en glimlacht. Laura knikt schaapachtig terug. Zodra de deur achter hem en de kinderwagen dichtvalt, ademt ze uit. Blijkbaar had ze al die tijd haar adem ingehouden. Haar hart bonst in haar keel en het zweet staat in haar handpalmen.

'O. Mijn. God.' Iris slaat haar hand voor haar hart. 'Dat was zo ongemakkelijk. Jullie vinden elkaar overduidelijk leuk.'

'Hij heeft een kind,' is het enige dat Laura uit kan brengen.

'Mystery Man is Family Man!' zegt Iris. 'Wat leuk! Het hoeft trouwens zijn kind niet te zijn.'

'Natuurlijk is het zijn kind. En dat betekent waarschijnlijk ook dat hij een vrouw heeft.'

'Ik denk het niet hoor,' stelt Iris haar gerust. 'Jullie werden allebei helemaal nerveus. Hij vindt je leuk. Echt. Hij komt hier twee keer op een dag! Jij vindt het gewoon eng omdat je al zo lang geen leuke man hebt ontmoet.'

'Ik had op Lowlands toch nog met die Zweedse jongen,' zegt ze verdedigend.

'Laura...' Iris schudt haar hoofd. 'Dat was niet afgelopen zomer, maar de zomer daarvoor.'

'O, ja,' mompelt ze. 'Ik ga de koffie naar de studenten brengen.' Ze zet de drie kopjes op een blad en loopt naar de tafel aan het raam. Ze krijgt een opgejaagd gevoel als ze denkt aan wat Iris net zei. Is dat met die Zweedse jongen echt al langer dan een jaar geleden? Wat gaat de tijd toch snel voorbij. Straks is ze veertig en zitten Iris en David hier met hun drie schattige blonde kindjes op een zaterdagmiddag aan de leestafel en staat zij nog achter de bar. Alleen. Buiten barst er een gigantische herfstbui los. De regen tikt tegen de ramen en ze maakt zich ineens zorgen over Mystery Man en het kindje. Een kind smelt niet in de regen, natuurlijk. Maar toch... Terwijl ze het blad met koffie op de tafel zet, voelt ze een strakke knoop in haar maag. Het doet haar meer dan ze dacht. Misschien heeft Iris gelijk. Ze vindt hem leuk. Maar dat doet er niet meer toe als hij een vrouw en kind heeft. Ze heeft zin om naar huis te gaan en op de bank te ploffen met een zak chocoladekruidnoten, maar ze heeft beloofd om langer te blijven om de nieuwe barista in te werken. Nou ja, misschien is het een goede afleiding.

Barista! gaat om zes uur dicht. Om vijf voor zes komen Luigi en de boekhouder eindelijk het kantoortje uit. De meisjes bij het raam zijn inmiddels vertrokken. Laura ziet dat Luigi niet bijster vrolijk kijkt, maar op zich is dat niets bijzonders. Ze hoopt dat hij zijn goede humeur tevoorschijn tovert voor de nieuwe barista. Dat is wel zo gezellig.

'Ik hoop dat de nieuwe barista leuk is,' fluistert Laura tegen Iris, terwijl ze samen de vaatwasmachine inruimen. Luigi staat met de boekhouder te praten bij de voordeur.

'Ik hoop het ook,' fluistert Iris.

'En ik hoop dat het goed komt met Barista!.'

'Tuurlijk, joh!'

Iris is altijd positief, denkt ze. Maar zij werkt hier pas net en ze kent Luigi niet. Laura ziet aan hem dat er echt iets aan de hand is. Wat moeten ze doen als Barista! ophoudt te bestaan? Iris kan vast wel een baan vinden die aansluit op haar opleiding, als ze echt goed zoekt. Maar wat moet zij zelf? En wat moet Luigi? Het doet haar allemaal meer dan ze had gedacht.

'Alles goed gegaan vandaag, meiden?' zegt Luigi, die de

boekhouder de deur uit heeft gewerkt en naar de bar komt gewandeld.

Iris vertelt dat het vanwege de regen rustig was en dat er verder geen bijzonderheden waren. 'En bij jou, Luigi?' vraagt ze.

Luigi zucht zijn beroemde zucht. 'Het wordt moeilijk... het wordt heel moeilijk.'

Net als Laura wil vragen wat er zo moeilijk wordt, gaat de deur open. Luigi draait zich om. 'Ah, je bent er!' zegt hij.

Een meisje met een grote zwarte paraplu en een kletsnatte zwarte regenjas stapt de drempel over. Ze klapt haar paraplu dicht. Terwijl ze naar de bar loopt, trekt ze haar capuchon omlaag. Een grote bos zwarte krullen springt als een zwerm nachtvlinders onder haar jas vandaan. Ze loopt zelfverzekerd, met uitgestoken hand op Luigi af. Ze is te gefocust op haar nieuwe baas om Laura en Iris op te merken.

Maar Laura heeft haar wel gezien. Dit ga je niet menen, denkt ze. Niet zíj. Niet híér. Haar hart bonst tegen haar ribbenkast. Het lijkt alsof ze geen adem meer krijgt. Ze kijkt automatisch opzij en achterom om te zien of ze nog kan ontsnappen. Een idioot idee, want ze kan geen kant op achter de toonbank.

'Wat is er?' fluistert Iris. 'Ken je haar?'

Laura knikt.

'Laura, Iris...' zegt Luigi, die zich omdraait. 'Dit is...'

'Sophie,' zegt Laura.

3

'Jullie kennen elkaar?' Luigi trekt verbaasd zijn wenkbrauwen op.

'Laura!' Sophie knippert met haar ogen. Haar donkere lange wimpers fladderen op en neer. Als Laura niets zegt, gaat Sophie verder. 'Laura en ik zaten bij elkaar op de middelbare school,' legt ze uit.

Luigi knikt. 'Aha,' zegt hij. 'Dat is ook toevallig, zeg. Nou, Sophie, Laura ken je dus al. En dit is Iris.'

Over de toonbank heen schudden Sophie en Iris elkaars hand. Laura is te verbaasd om iets te zeggen. De knoop die al in haar maag zat, wordt nog strakker aangetrokken, totdat hij barst en er niets overblijft dan een hol gevoel. Sophie lijkt daarentegen totaal niet van haar stuk gebracht. Ze glimlacht breeduit en babbelt met Iris en Luigi over het weer en hoe veel zin ze heeft om bij Barista! te beginnen. Ze was altijd al een goede actrice, denkt Laura.

Vijf minuten later is Iris de tafels aan het afnemen en staat Laura onder het toeziend oog van Luigi aan Sophie uit te leggen hoe de bonenmaler en de melkopschuimer werken.

Laura praat op mechanische en vlakke toon. Ze zegt wat er gezegd moet worden en meer niet. Sophie reageert overal even enthousiast op.

'Kun je me ook uitleggen hoe je een hartje op de koffie schenkt?' vraagt ze.

'Laat jij het even zien, Laura?' vraagt Luigi. 'Ik ga Iris helpen met opruimen.'

Luigi loopt weg. Laura staat met de melkkan in haar hand en staart naar Sophie.

'Nou?' zegt Sophie met een grote glimlach. 'Ga je het nog laten zien? Het lijkt me echt leuk om een hartje te kunnen schenken. Of zo'n blaadje.'

Laura zegt niets en kijkt haar strak aan. 'Wat doe je hier?' vraagt ze uiteindelijk.

'Ik... euh...' Sophie lijkt echt verbaasd.

'Het is acht jaar geleden dat we elkaar voor het laatst hebben gezien of gesproken,' zegt Laura. 'En jij doet alsof er niets aan de hand is.'

'Ik wist niet dat je hier werkte,' zegt Sophie zachtjes. 'Ik wist niet eens dat je hier woonde.'

'Je wist toch in welke stad ik ging studeren?'

'Dat is waar... maar ik had er gewoon niet aan gedacht. Ik woon hier nog niet zo lang en...'

'Ik heb best lang gehoopt dat je nog contact zou opnemen,' zegt Laura. Ze staart voor zich uit en praat eigenlijk meer tegen zichzelf dan tegen Sophie. 'Dat je zou bellen, of dat ik een mailtje van je zou krijgen. Ik dacht echt dat je uiteindelijk je excuses aan zou bieden. Maar dat gebeurde niet en toen heb ik besloten dat ik je nooit meer wilde zien.' Ze kijkt naar Sophie. 'En nu moet ik ineens vier dagen per week met je samenwerken?'

'Luister, Laura,' zegt Sophie. Haar stem klinkt harder en zelfverzekerder nu. 'Ik heb deze baan echt heel hard nodig.'

'Jij?' Laura slaakt een hoog, sarcastisch lachje. 'Dat lijkt me heel onwaarschijnlijk.'

'En toch is het zo. Dus ga je me nog laten zien hoe je een hartje schenkt, of niet?'

Ze zucht en pak de melkkan. Ze laat zien hoe vol ze de kan moet schenken. 'Uit dit pijpje komt stoom,' legt ze uit, terwijl ze het langwerpige ding aan de zijkant van het apparaat vastpakt. 'Je bedient het met je voet.'

Sophie kijkt naar de grond en ziet hoe Laura met haar voet kort op het pedaal drukt. Met een sissend geluid komt er stoom uit het pijpje.

Laura houdt het stoompijpje in de melk en drukt het pedaal nog een keer in. Langzaam laat ze de kan zakken. Het scheurende geluid zorgt ervoor dat ze niet hoort wat Sophie zegt.

'Wat zei je?' zegt ze als ze klaar is.

'Mag ik het ook proberen?' vraagt Sophie.

Ze knikt. Ze schenkt een nieuwe kan melk in en geeft deze aan Sophie, die haar best doet Laura's bewegingen te imiteren. Ze laat de kan langzaam naar beneden zakken... en wordt vervolgens onder gesproeid met hete melk.

'Ah!' zegt ze, terwijl ze haar hand voor haar gezicht slaat.

'Je moet het pedaal loslaten, zodra het pijpje de melk niet meer raakt. Dat was ik even vergeten te zeggen.'

Het is maar tien minuten fietsen van Barista! naar Laura's huis, maar toch is ze helemaal verregend als ze de smalle trap naar haar appartement opklimt. In de gang schopt ze haar natte schoenen uit en gooit ze haar jas op de grond. Ze loopt gelijk door naar de badkamer, waar ze al haar natte kleren uittrekt. Ze schrikt als ze zichzelf in de spiegel ziet. Haar lange bruine haar is nog donkerder geworden van de regen en plakt aan haar bleke gezicht. Haar make-up is uitgelopen en haar groen-grijze ogen staan vaal. Ze kan zo in een zombiefilm.

Terwijl de warme stralen van de douche over haar rug stromen, denkt ze aan Sophie, met haar zwarte krullen en grote bruine ogen. Ze was chiquer gekleed dan vroeger. Ze droeg zwarte pumps en koraalrode lippenstift. Ze zag er ook ouder uit. Haar ogen stonden serieuzer en ze had kleine rimpeltjes op haar voorhoofd. Niet zo gek na acht jaar, natuurlijk. Ze ziet er zelf waarschijnlijk ook een stuk ouder uit. Al loopt ze nog steeds op afgetrapte All Stars in plaats van op pumps. De afgelopen jaren heeft ze heel vaak gedacht dat ze Sophie zag. Ergens op een terras, in de supermarkt of op de fiets. Maar als ze dan beter keek, was het altijd een ander meisje met zwarte krullen. Het was nooit Sophie. Tot vandaag.

Eigenlijk had ze nog naar de supermarkt gemoeten. Maar het regende zo hard en ze was zo ontdaan over de ontmoeting met Sophie dat ze direct naar huis is gereden. Ze maakt een tosti als avondeten en ploft in haar roze badjas op de bank. Op haar telefoon ziet ze dat ze twee gemiste oproepen heeft van Iris. Ze hadden elkaar niet meer kunnen spreken zonder Sophie of Luigi erbij. Ze belt haar terug.

'Hé!' zegt Iris.

'Hé. Je had gebeld, zag ik. Ik stond onder de douche.'

'Gelukkig! Ik was al bang dat Luigi je tot acht uur liet blijven!'

'Nee, zeg!'

'Maarre... dus dát is Sophie? De Sophie waarover je wel eens verteld hebt?'

'Ja, dat is dé Sophie.'

'Jezus, Lau. Te bizar.'

'Het is echt bizar. Ze reageerde ook zo raar!'

'Hoe dan?' vraagt Iris. 'Ik probeerde jullie af te luisteren, maar ik kon het niet goed horen.'

'Nou ja, ze deed eigenlijk alsof er niets aan de hand was. Alsof ik een of andere vage kennis was en niet haar voormalige beste vriendin die ze zonder reden keihard heeft laten vallen.'

'Bizar.'

'Heel bizar.' Laura neemt een hap van haar tosti.

'Maar Laura, wat was er nou ook alweer precies gebeurd? Je hebt het me jaren geleden wel een keer verteld. Toen we in een café waren en jij mij ineens naar buiten sleepte, omdat je dacht dat je haar zag. Maar ik weet het niet precies meer.'

'Weet je wat het is?' zegt Laura met haar mond half vol. 'Ik weet het ook niet precies meer. Ik weet alleen nog dat we vanaf de tweede klas beste vriendinnen waren en alles samen deden. In het examenjaar veranderde ze. Ze kon heel goed zingen en kreeg ineens allerlei aanbiedingen van platenmaatschappijen en tv-programma's. Dat steeg gewoon naar haar hoofd. Ik weet nog dat ik na de examens een goedbedoelde opmerking maakte. Ik zei dat ze moest oppassen, of zo. En dat viel helemaal verkeerd. Ze ontplofte en zei dat ik jaloers was en dat ik altijd al jaloers op haar was geweest.'

'Jee...' Iris klinkt geschokt.

'En daarna hadden we een groot examenfeest en daar negeerde ze me volkomen. Ik zag haar op een gegeven moment weglopen. Ik liep haar achterna om te vragen wat ik verkeerd had gedaan en waarom ze me negeerde en toen stond ze in het fietsenhok te zoenen met Nick. De jongen op wie ik al jaren verliefd was. En dat wist ze.'

'Jezus,' zegt Iris.

'Ik bleef na het feest maar wachten op een telefoontje met excuses, maar dat kwam niet. Ik heb toen een maand later of zo al mijn trots opzijgezet en haar gebeld en toen hebben we weer ruzie gehad. Ze kapte me af en zei dat ze voorlopig geen contact wilde en dat ik wel zou horen als ze daar wel klaar voor was.'

'Wat arrogant!' roept Iris.

'Het erge is dat ik daar nog best lang op heb gewacht. Ik wist gewoon zeker dat ze tot inkeer zou komen. Maar ik hoorde nooit meer iets.'

'Had niemand meer contact met haar?'

'Niemand die ik ken. Ik heb haar nog wel eens gegoogled, maar ik heb nooit een spoor kunnen vinden. Ze was altijd zo aanwezig. Ze kon goed zingen, acteren, ze was knap, ze was geloof ik ingeloot voor geneeskunde.'

'Vreemd.'

'Heel vreemd inderdaad dat je niet op social media zit als je zo kickt op aandacht. Ik stelde me altijd voor dat ze voor Artsen zonder Grenzen werkte in de jungle of dat ze zangeres was op een cruiseschip en dat ze daarom niet online te vinden was.'

'Misschien was ze dat wel en is er iets vreselijk mis gegaan.'

'En dan belandt ze uitgerekend bij Barista!,' verzucht Laura. 'Ik weet echt niet hoe ik hier mee om moet gaan. Wat moet ik nou zeggen tegen haar?'

'Als ik jou was, zou ik net doen als Sophie. Doe gewoon alsof er niets aan de hand is,' stelt Iris voor.

'Ik ga het proberen. Ik concentreer me gewoon op het werk.'

'En op Mystery Man natuurlijk!' zegt Iris opgewekt.

Laura lacht. 'Ja, als hij morgen met zijn vrouw en vier andere kinderen binnenkomt, zal ik me helemaal op hem richten.'

Na het telefoongesprek met Iris pakt Laura een zak chocoladekruidnoten en zet de televisie aan. Tijdens een programma over tienermoeders op MTV valt ze in slaap. Ze heeft een vreemde droom over haar examenfeest. Mystery Man staat in het midden van de gymzaal te dansen met het kind op zijn schouders. Luigi staat achter de bar en in plaats van bier serveert hij koffie.

'Een echte Italiaan heeft alleen espresso nodig!' roept hij.

Laura probeert de uitgang van de gymzaal te vinden, maar die lijkt op magische wijze te zijn verdwenen. Ieder keer als ze denkt dat ze de deur naar buiten gevonden heeft, stapt ze erdoor en staat ze wéér in de gymzaal. Iris komt voorbij op rolschaatsen en een blad vol muffins.

'Kijk!' zegt ze, terwijl ze naar het midden van de dansvloer wijst.

Onder de roze en groen knipperende discolampen staat Mystery Man. Hij heeft het jongetje nog steeds op zijn nek. Hij wenkt naar Laura dat ze moet komen. Ze loopt naar hem toen, maar zodra ze bij hem is, verandert hij in Sophie. Ze glimlacht. Maar dan ziet Laura haar haar. Haar krullen zijn een bos krioelende slangen.

Ze gilt.

En wordt wakker.

Ze kijkt op de klok naast de televisie. Half één. Met moeite sleept ze zichzelf naar haar slaapkamer. Het wordt een lange dag morgen.

4

Als Laura om zeven uur 's ochtends op haar fiets stapt, zit haar hoofd vol watten. Ze heeft een warrige nacht achter de rug, vol vreemde dromen over Mystery Man en Sophie. En nog iets over zwemmende konijnen, maar die droom heeft ze wel vaker.

Het regent gelukkig niet meer, maar het is waterkoud. Ze is haar handschoenen vergeten, dus ze slaat de mouwen van haar vest om haar handen. Ze moet denken aan haar kindertijd, toen ze een pyjamabroek of maillot onder haar broek droeg als het koud was. Haar broeken zitten tegenwoordig zo strak, dat ze daar met geen mogelijkheid een legging of maillot onder zou kunnen proppen. Laat staan een pyjamabroek. Strakke broeken zijn nou eenmaal in de mode. Ook zou het kunnen dat ze iets te veel chocoladekruidnoten naar binnen heeft gewerkt de afgelopen weken en dat haar kleren daarom zo strak zitten. Maar hallo, die cappuccinokruidnoten zijn fantastisch. En die chocoladetruffelkruidnoten ook. En ze zijn er maar zo kort ieder jaar. Of nou ja, dat is niet helemaal waar. De eerste zakken lagen eind augustus al in de winkel. Laura snapt niet hoe het kan, maar het ruikt buiten zelfs naar speculaas en kruidnoten. Misschien dat ze niet zo aan Sinterklaassnoepgoed zou denken, als ze vanochtend fatsoenlijk ontbeten had. Toen de wekker ging, had ze het gevoel dat het nog midden in de nacht was en kreeg ze geen hap door haar keel, maar nu ze op de fiets zit, heeft ze honger. Het eerste dat ze straks bij Barista! doet is een paar cantuccini verorberen en een espresso maken.

Het centrum van de stad verkeert al helemaal in winterse kerstsferen. Het is nog donker. In de grote winkelstraten hangen lichtjes en in de etalages van de Bijenkorf staan kerstbomen en winters geklede mannequins. Bij de Starbucks staat de rij tot buiten. Barista! is iedere dag van half acht tot zes geopend. Starbucks van zeven tot zeven. Ze hoopt niet dat Luigi besluit om nog eerder open te gaan vanwege de concurrentie aan de overkant. Kwart over zeven beginnen is al vroeg genoeg. Terwijl ze de drukke straat oversteekt en zoekt naar een plekje om haar fiets te parkeren, probeert ze zich mentaal voor te bereiden op de confrontatie met Sophie. Misschien heeft Sophie er gisteravond nog eens goed over nagedacht en is ze tot de conclusie gekomen dat ze beter ergens anders kan gaan werken.

Helaas. Als ze met haar sleutel de voordeur van Barista! openmaakt en naar binnen stapt, ziet ze Luigi met Sophie aan de grote leestafel zitten. Er ligt een stapel papieren en ze vermoedt dat het contracten zijn. Geweldig. Sophie is blijkbaar zo wanhopig op zoek naar een baan, dat ze het niet erg vindt om samen te werken met haar.

'Goedemorgen Laura!' roept Luigi.

'Goedemorgen!' zegt Sophie met een stralende glimlach.

'Mmpf,' mompelt Laura, terwijl ze naar het magazijn loopt om haar jas op te hangen. Als ze haar dikke groene wollen sjaal afdoet, vallen er kruimels op de grond. O, denkt ze. Vandaar de kruidnotengeur. De sjaal zit onder de kruimels. '*Classy*, Laura,' mompelt ze tegen zichzelf. Automatisch denkt ze aan Mystery Man en wat hij zou vinden van kruimels in haar sjaal.

Ze knoopt haar zwarte schort om. Iris begint pas om half negen, wat betekent dat ze minstens een uur alleen is met Sophie en Luigi. Ze denkt aan de tip die Iris haar gisteren gaf: doe alsof er niets aan de hand is.

Zelfverzekerd loopt ze naar de toonbank. Binnen tien seconden staan Luigi en Sophie naast haar. Luigi heeft zijn hand op Sophies schouder gelegd.

'Laura. Sophie loopt vanochtend met jou mee. Zo kan ze tijdens de ochtenddrukte goed zien hoe jij alles doet. Vanmiddag kan ze dan zelf achter de kassa staan. Is dah-goed?' vraagt hij op zijn Brabants.

'Tuurlijk. Prima,' zegt Laura. Ze kan moeilijk zeggen dat het níet goed is.

'Oké, ik moet even wat mensen mailen. Ik zie jullie zo weer.'

Luigi verdwijnt naar het kantoortje en Laura blijft achter met Sophie.

Tien minuten later hebben ze nog geen woord met elkaar gewisseld. Laura heeft de machines aangezet, de bonen bijgevuld en de afwasmachine uitgeruimd. Ondertussen heeft ze vier cantuccini gegeten. Sophie heeft haar alleen maar aangestaard. Af en toe maakte ze aanstalten om met iets te helpen, maar Laura liet het niet toe. Nu loopt ze naar de deur. Het is half acht en de zaak moet open. Sophie loopt haar achterna en Laura's nekharen gaan rechtovereind staan.

'Je hoeft niet de hele dag achter me aan te lopen!' snauwt ze.

'Oké, sorry,' mompelt Sophie. 'Ik dacht dat ik misschien kon helpen.' Ze loopt terug naar de toonbank.

Laura doet de deur open en zet het grote krijtbord buiten. Bah, nu voelt ze zich schuldig dat ze is uitgevallen tegen Sophie. Maar het kind werkt op haar zenuwen! En zíj komt híér werken. In haar domein.

Als ze weer achter de toonbank staat, is de spanning die toch al in de lucht hing, nog tastbaarder geworden. Laura slaakt een diepe zucht en besluit om haar trots opzij te zetten en haar excuses aan te bieden.

'Sorry, Sophie,' zegt ze. 'Ik had niet zo moeten uitvallen.'

'Het is al goed,' mompelt Sophie, die naar de grond kijkt.

Al snel komen de eerste klanten binnen. Laura probeert te doen alsof Sophie er niet is, maar dat is nogal moeilijk aangezien ze steeds vraagt of ze iets mag doen en enorm in de weg loopt. Uiteindelijk besluit ze om haar een paar duidelijke taken te geven. Hoe sneller ze zelfstandig kan werken, hoe sneller ze van haar af is. Sophie handelt de bestellingen af aan de kassa en Laura maakt de koffie. Dit gaat eigenlijk prima. Sophie is leuk met de klanten. Als ze iets verkeerd doet met de kassa, zegt ze verontschuldigend dat het haar eerste dag is en niemand neemt het haar kwalijk.

Het is druk in de zaak. Het regent niet en de studenten die er op maandag nog geen zin in hadden, hebben inmiddels besloten dat ze toch maar weer eens gaan kijken hoe de universiteit er van binnen uitziet. Laura kijkt nerveus naar de klok. Het is inmiddels kwart over acht geweest. Waar blijft Iris? Mystery Man komt meestal rond half negen. Ze wil dat Iris Sophie bezighoudt. Op de een of andere manier wil ze niet dat Sophie en Mystery Man met elkaar praten, of dat Sophie zich met hun gaat bemoeien. De gesprekjes die ze met hem heeft… dat is iets tussen hen. Niet dat het iets voorstelt, maar Sophie heeft er gewoon niets mee te maken.

Wanneer ze vijf lattes en één verse muntthee voor een groep studenten neerzet naast Sophie, ziet ze dat Mystery Man achter in de rij staat. Er staan nog drie mensen voor hem. Als Iris nú binnenkomt, heeft ze hem nog voor zichzelf, denkt ze. Ze maken oogcontact. Zijn grote bruine ogen kijken haar zo doordringend aan dat ze het gevoel krijgt dat hij alles kan zien wat ze denkt en voelt. Ze voelt dat haar wangen rood worden. Hij glimlacht en trekt zijn wenkbrauwen op. Ze draait zich weer om om de volgende bestelling te maken voor Sophie. Wat bedoelt hij met die opgetrokken wenkbrauwen? Bedoelt hij: *Hoi, leuk je weer te zien. Ja dat was mijn kind gisteren en ik ben inderdaad getrouwd. Jammer hè?* Of misschien bedoelt hij: *Je denkt zeker dat dat mijn kind was, maar dat is niet zo en ik vind je leuk!* Of: *Hé, heb je een nieuwe collega?* Of misschien gewoon *hoi* en verder niets. Mmm…

'Laura… Laura!'

Sophie haalt haar uit haar dagdroom. Ze kijkt omlaag. 'Shit!'

roept ze, terwijl ze het melkkannetje dat ze in haar hand heeft snel neerzet. Ze heeft de melk die bedoeld was voor drie cappuccino's in één kartonnen beker gegoten. En niet alleen er in, maar ook ernaast. De melk verspreidt zich over het hele werkblad en druppelt op de grond. Sophie pakt het doekje dat naast het espressoapparaat ligt, maar Laura grijpt het uit haar handen.

'Laat mij maar,' zegt ze. Ze ruimt het snel op en maakt alsnog de drie cappuccino's voor de klanten die nu aan de beurt zijn. Nog één klant totdat Mystery Man aan de beurt is en nog geen Iris. Ze maakt de thee voor het volgende meisje in de rij en zet ook alvast een dubbele espresso. Ze draait zich om naar de kassa. Het meisje met de thee schuift opzij en hij loopt naar voren. Hij kijkt geamuseerd van de een naar de ander.

'Goedemorgen,' zegt hij.

'Goedemorgen,' zeggen Laura en Sophie in koor.

Hij lacht. Laura kan wel door de grond zakken. Simultaan goedemorgen zeggen. Hoe suf is dat? Als ze op dit moment een wens zou mogen doen, zou ze wensen dat er een luik in de vloer zat waar ze Sophie tijdelijk door kon laten verdwijnen. Of nog beter, permanent.

'Wat een vriendelijke ontvangst. Mag ik een dubbele espresso to-go?' zegt hij.

Laura schuift de kartonnen beker naar voren. 'Had ik al voor je klaargezet.'

'Dank je. Mag ik ook nog een cappuccino van je?' Hij richt zijn vraag aan Laura. Misschien heeft haar wens gewerkt en is Sophie echt door een luik verdwenen. Maar helaas. Sophie is degene die reageert.

'Ja, natuurlijk,' zegt ze. 'Dat is vijf euro twintig alsjeblieft.'

Nu Sophie afrekent, zit er voor Laura niets anders op dan zich weer om te draaien om de cappuccino te maken. Ze probeert er maar niet aan te denken voor wie de cappuccino is en zich te concentreren op de koffie. Voor je het weet ontstaat er weer een zuiveldrama en ze wil niet dat Mystery Man denkt dat ze nerveus is. Als ze met de melkkan in haar hand staat en zich afvraagt of ze wel of geen hartje zal schenken, hoort ze hoe Sophie het geld van Mystery Man aanneemt.

'*Shokran,*' zegt ze.

'Ah!' hoort ze hem enthousiast zeggen.

Wat er daarna gezegd wordt, verstaat ze niet, want het is Arabisch. Sophie is half Tunesisch en blijkbaar kan ze ineens geen Nederlands meer. Snel schenkt ze een patroon van een blaadje op de cappuccino en draait ze zich om. Sophie en Mystery Man zijn nog steeds in een gesprek verwikkeld. Ze lachen allebei en hij kijkt naar Laura. Serieus, denkt ze, hebben ze het over haar? Lachen ze haar uit? Ze knalt de cappuccino op de toonbank en loopt met grote passen de zaak in. Ze struikelt bijna over de rand van een van de kleden. 'Verdomme,' mompelt ze. 'Achterlijke Perzische tapijten.' Ze durft niet om te kijken en gaat er voor het gemak maar vanuit dat Mystery Man dit niet heeft gezien. Wat is er toch met haar aan de hand? Normaal is ze helemaal niet zo klungelig. Het zal het gebrek aan ontbijt zijn.

Als ze een stapeltje maakt van de kranten op de leestafel,

hoort ze ineens iemand kuchen. Ze draait zich om en kijkt recht in de twee mooiste bruine ogen die ze ooit heeft gezien. Hij heeft echt hele lange wimpers. En hij is ook niet kleiner dan zij. Niet heel veel groter, maar zeker niet kleiner.

'Hé,' zegt hij. Hij staat er een beetje onhandig bij, met twee kartonnen bekers koffie in zijn hand.

'Hoi,' zegt ze.

'Je hebt een nieuwe collega, zie ik.' Hij knikt in de richting van de bar, waar Sophie weer eens ruzie heeft met de melkstomer. Ze wappert met haar handen en pakt een doekje.

'Ja.' Ze weet niet zo goed wat ze er verder nog over kan zeggen.

'Maar jij blijft hier wel werken nog?'

'Ja!' Oké, dat kwam er iets te enthousiast uit.

'Gelukkig,' zegt hij. 'Ik zou het jammer vinden als ik je niet meer zou zien.' Hij kijkt een beetje ongemakkelijk naar de grond. Laura weet niet wat ze moet zeggen. Ze wil eigenlijk een dansje doen en hem om zijn nek vliegen, maar dat zou raar zijn.

'Ik euh… ik ga er maar eens vandoor. Cappuccino naar mijn baas brengen,' stamelt hij.

Aha, dus daar was de cappuccino voor.

'Tot…euh… morgen of zo, denk ik.' Hij lacht en kijkt verlegen naar de grond.

'Ja, tot dan,' weet Laura nog net uit te brengen.

Pas om twee uur 's middags, als ze samen hun pauze nemen, lukt het Laura en Iris om elkaar te spreken zonder dat Luigi of Sophie erbij is. Ze zijn naar buiten gegaan en zitten op een bankje aan de gracht met een kartonnen beker chocolademelk om hun handen warm te houden. Laura heeft de capuchon van haar winterjas op gezet en Iris heeft een rode wollen muts over haar lange blonde haar getrokken. Ze draagt een bijpassende rode sjaal. Laura heeft haar net verteld wat er vanochtend is gebeurd.

'Het is zo irritant dat ik niet verstond waar ze het over hadden,' verzucht ze. Ze blaast een wit wolkje koude lucht uit. 'Ik bedoel, ze waren aan het lachen en keken naar mij. Dat heb ik echt niet verzonnen.'

'Je bent toch niet bang dat ze hem afpakt?' vraagt Iris.

'Valt er iets af te pakken?' Laura trekt haar wenkbrauwen op. 'Ik weet niet eens hoe Mystery Man heet!'

'Nee, maar het is nu toch wel overduidelijk dat hij jou leuk vindt. En jij hem.'

Laura fronst. 'Mmm,' zegt ze. 'Misschien doet hij bij iedereen zo. En ik weet niet of ik hem leuk vind. Ik val op blond. Ik zie mezelf echt niet met iemand zoals hij.' Ze zegt het wel, maar ze is er eigenlijk niet van overtuigd. Ze heeft echt kriebels als ze aan hem denkt, dat valt niet te ontkennen. Iris merkt het ook.

'Kom op, Lau. Je zou niet zo met hem bezig zijn als je niet in hem geïnteresseerd was,' zegt ze.

'Ik ben helemaal niet met hem bezig!'

'Nee, dat zou je willen.'

'Iris!'

Iris stikt bijna in haar chocolademelk van het lachen.

'Maar even serieus,' gaat Laura verder. 'Ik snap ook echt niet waarom Sophie en hij ineens op Arabisch overschakelden. Zij begon ermee. Hoe wist zij überhaupt dat hij Arabisch sprak?'

Iris denkt hier even over na. 'Misschien herkende ze gewoon... iets in hem. Net zoals wij Nederlanders in het buitenland herkennen. Ze heeft een soort Arabische versie van een gaydar.'

'Een arab-dar?'

'Ja! Een arab-dar!' Laura maakte een grapje, maar Iris knikt en kijkt serieus. 'En weet je wat?'

'Wat?'

'Misschien vroeg hij haar in het Arabisch of jij een vriend had en keken ze daarom lachend naar jou.'

'Yeah, right.' Laura neemt een slok van haar chocolademelk. 'Zoals het er nu uitziet, sta ik de komende tijd samen met Sophie achter de toonbank als Mystery Man komt. En hij komt altijd in de ochtend- of avondspits.' Op de grond hopt een duif. Hij pikt aan een half frietje. Ze maakt een schopbeweging met haar voet in de richting van het beest, maar hij blijft gewoon zitten. 'Patatkip,' mompelt ze.

'We hebben een plan nodig.' Iris lijkt de duif niet te hebben opgemerkt. Ze kauwt op haar lip en is in gedachten verzonken.

'Wé?'

'Oké, ik heb iets bedacht. Je moet meer te weten komen over hem. Mystery Man moet uit de Mystery Zone. Er zit dus maar één ding op...'

'Wat?'

'Je moet hem mee uit vragen.'

5

Operatie Haal Mystery Man uit de Mystery Zone gaat aan het einde van de dag plaatsvinden. Als alles gaat zoals het altijd gaat, bestelt hij rond een uur of half zes een thee. Laura gaat hem dan vertellen dat het haar leuk lijkt om hem ook een keer buiten Barista! te zien. Dat heeft Iris tenminste bedacht. Ze heeft er gisteren mee ingestemd, maar als ze er nu aan denkt, wordt ze letterlijk kotsmisselijk. Ze klapt waarschijnlijk helemaal dicht.

Sophie doet vandaag erg haar best om door iedereen aardig gevonden te worden. Laura ziet hoe ze Iris complimenteert met haar laarzen. Vervolgens zegt Iris dat ze Sophies pumps zo mooi vindt en dat ze het knap vindt hoe ze de hele dag op die hakken staat. Laura ziet hoe de twee meiden samen lachen en praten. Alsof Sophie gewoon een nieuwe collega is en niet iemand om wie Laura zo lang zo veel verdriet heeft gehad. Het voelt als een messteek in haar rug en als ze 's middags samen met Iris achter de toonbank staat en Sophie pauze heeft, zegt ze er iets van.

'Laura, ze doet haar best. En ik vind haar eigenlijk heel aardig,' is Iris' reactie.

'Dat is het nou juist!' Laura doet haar best om haar stem niet te verheffen. Het is behoorlijk druk en niet iedereen hoeft getuige te zijn van hun werkvloerdrama's. 'Ze ís ook heel aardig. Ze was niet voor niets jarenlang mijn beste vriendin. Maar ben je soms vergeten wat ze mij heeft aangedaan?'

'Misschien zit het anders dan je denkt en is er een goede verklaring voor.'

'Ik heb je toch uitgelegd wat er is gebeurd? We waren vriendinnen en ineens besloot ze dat ze mij niet meer wilde zien. En zoende ze met Nick, de jongen op wie ik verliefd was!'

'Jullie waren… wat… zeventien?' Iris rolt met haar ogen.

'Wil jij soms dat ik ontslag neem, zodat Luigi straks niet hoeft te kiezen wie hij moet ontslaan? Aan wiens kant sta jij?'

'Aan jouw kant natuurlijk! Voor zover er al twee kanten zijn. Maar laten we het over belangrijker zaken hebben. Nog twee uur en dan ga je Mystery Man mee uit vragen. Vind je het niet spannend?' Iris klapt enthousiast in haar handen en doet een vreemd dansje, alsof de vloer ineens heel heet is.

Heel *smooth*, om zo van onderwerp te veranderen, denkt Laura. Ze komt hier later nog wel op terug bij Iris. Ze moet haar aan het verstand brengen hoe achterbaks Sophie is.

'Nou?' vraagt Iris, wanneer Laura niets zegt.

'Ja, heel spannend.'

'Je klinkt niet echt enthousiast.'

'Omdat het gisteren allemaal heel logisch klonk, maar ik me gewoon niet kan voorstellen dat ik dit echt ga doen.'

'Waarom niet?' Iris klinkt oprecht verbaasd.

'Ik kan toch niet zomaar iemand mee uitvragen? Ik weet zeker dat het superongemakkelijk wordt en dat hij het niet ziet zitten. Dit is het echte leven, Iris, geen romantische comedy.'

'Niet?' Iris lacht. 'Het is misschien gewaagd, maar als ik iets heb geleerd van de liefde de afgelopen jaren, is dat je actie moet ondernemen, voordat het te laat is. Het is allemaal leuk hoor, die gezellige gesprekjes en dat bizar lange oogcontact van jullie, maar dat gaat nergens naartoe.'

'Bizar lang oogcontact?' Ze heeft toch geen bizar lang oogcontact met Mystery Man? Toch niet meer dan met andere mensen?

'Doe even normaal, Laura. Dat heb je toch hopelijk wel door? Jullie staren naar elkaar als twee mensen uit een aflevering van *Spoorloos* die elkaar na twintig jaar eindelijk weer zien.'

'Wie was er spoorloos?' Sophie staat ineens weer achter de toonbank.

'Jij, de afgelopen acht jaar,' mompelt Laura.

Om vijf voor half zes staart Laura ongeduldig naar de voordeur. Iris staat naast haar. Het afgelopen uur heeft ze ongeveer tien keer besloten om het niet te doen en heeft Iris haar tien keer overgehaald om er toch mee door te gaan. Nu ze hier zo staat, vindt ze het weer een heel slecht idee, maar Iris vermoordt haar als ze het niet doet. Ze hopt van de ene op de andere voet en dat is niet alleen omdat ze nerveus is. Ze moet heel, heel nodig plassen. Van de spanning is ze de hele dag vergeten om naar de wc te gaan. Wel heeft ze liters thee en vier koppen koffie op.

Ze stoot Iris aan. 'Ik hou het niet meer.'

'Wat? De spanning? Oké. Adem in... en adem uit...' Iris blaast lucht door haar lippen, alsof ze op een pufcursus zit.

'Nee, ik moet plassen!' fluistert Laura.

'Dat kan echt niet nu,' sist Iris.

De deur gaat open. Laura houdt haar adem in, maar het is de vrouw in mantelpak die aan het eind van de dag ook vaak komt. Ze paradeert op haar torenhoge hakken naar binnen en blijft haken achter de opstaande rand van een van de Perzische tapijten. Ze verliest haar evenwicht en valt op handen en knieën op de grond.

Laura slaat haar hand voor haar mond.

'O, nee!' roept Iris, die naar de vrouw rent. 'Gaat het?'

'Het gaat,' zegt de vrouw, terwijl ze opstaat en de stofvlokken van zich afslaat.

Luigi moet hier iets aan doen, denkt Laura. Het is wachten op het moment dat iemand een keer echt zijn nek breekt. Die dingen zijn ook te ranzig voor woorden. Er wordt wel gestofzuigd, maar er heeft nog nooit iemand een van die kleden uitgewassen. Ze zitten onder de koffievlekken. Wie legt er ook tapijten in een koffiebar?

Terwijl Iris de vallende vrouw een gratis kopje koffie geeft, rent Laura naar het magazijn. 'Zo terug!' playbackt ze naar Iris.

Nadat ze naar het toilet is geweest, staat ze te aarzelen in het magazijn. Ze hoopt eigenlijk dat hij niet komt. Ze durft dit helemaal niet. Iris heeft gelijk; haar liefdesleven kan wel weer eens wat actie gebruiken. Maar misschien moet ze gewoon wachten tot hij haar mee uitvraagt. Bovendien is dit weer typisch zoiets waar Iris enthousiast over is en dat Laura dan vervolgens mag uitvoeren. Zo gaat het echt altijd. *Laura, is het geen goed idee als jij je kamer groen verft?* Of *Hé, Laura, tien euro als jij die ongelooflijke nerd daar zoent.* Laura doet altijd alles en Iris maar lachen en zeggen dat ze het een bizar stoere actie vindt. Als Iris Mystery Man zo leuk vindt, moet ze hem zelf lekker mee uit vragen.

Ze duwt de deur van het magazijn een stukje open en vangt een glimp op van een bekende zwarte leren jas. Mystery Man rekent net af bij Iris, die nerveus in de richting van het magazijn kijkt. Laura zet de deur op een kiertje, zodat ze nog net kan zien wat er gebeurt. Ze hoopt dat Iris normaal blijft doen en haar niet komt halen. Haar blik schiet weer naar Mystery Man, die druk om zich heen kijkt. Zijn zwarte krullen dansen op en neer terwijl hij naar links en rechts en achter zich kijkt. O! denkt Laura. Hij zoekt mij! Wat lief! Een warm gevoel verspreidt zich via haar tenen door haar hele lichaam, om vervolgens door een koufront weer aan de kant geduwd te worden.

Sophie.

Ze loopt met een dienblad door de zaak en blijft staan naast Mystery Man, die naar de deur is gelopen. Zijn gezicht straalt. Alsof hij Sophie zocht. Ze beginnen gelijk een levendig gesprek. Laura kan het vanaf hier niet horen, maar dat is misschien maar goed ook. Ze vraagt zich af of ze überhaupt Nederlands praten. Mystery Man kijkt om zich heen en gebaart naar de toonbank. Sophie wijst ook wat om zich heen en haalt haar schouders op. Hij glimlacht naar haar en haalt zijn schouders ook op. Laura kan het niet uitstaan dat ze dit niet kan verstaan. Waar hebben ze het in hemelsnaam over? En waarom praat Sophie met hem?

Ze fronst en haalt diep adem door haar neus. Het zal haar niet gebeuren dat Sophie straks ineens een date heeft met Mystery Man. Hij kapt zijn gesprek met haar gelukkig af. Zodra hij de deur uit is, trekt ze een sprintje naar de bar.

'Je hebt hem net gemist!' Iris steekt uit frustratie haar handen in de lucht.

'Ik zag het,' zegt ze.

Sophie staat nu ook achter de toonbank en staart schaapachtig voor zich uit. Ze snapt duidelijk niet wat er aan de hand is. Niet nodig ook, denkt Laura. Iris rent naar het magazijn en komt terug met Laura's jas en tas.

'Hier,' zegt ze, terwijl ze de jas en tas tegen Laura aandrukt. 'Het kan nog! Hij ging linksaf. Loop hem achterna en spreek hem aan. Je kunt doen alsof je net klaar bent met werken.'

Ze staart verbaasd naar haar vriendin en naar de jas en tas, die ze aarzelend aanpakt. 'Maar… Luigi…' stamelt ze.

'Ik verzin wel iets. Ik zeg wel dat je naar de dokter moest voor een vrouwenprobleem.' Ze duwt Laura in de richting van de deur.

Beduusd stapt ze naar buiten. Al lopend trekt ze haar jas aan. Ze ziet hem. Hij is bijna bij de hoek van de volgende zijstraat. Hij heeft een volle beker thee zonder deksel en loopt niet hard. Het schemert en het is druk op straat. Fietsers en auto's razen voorbij en ook op de stoep lopen veel mensen.

Het is koud en ze steekt haar handen diep in haar zakken. Ze heeft haar groene wollen sjaal opgetrokken tot over haar neus en weer ruikt ze de kruidnotengeur. Uit de restaurants waar ze langsloopt komen etenswalmen. Het ruikt naar knoflook en gebakken vlees. Haar maag rommelt. Maar ze moet zich niet te veel laten afleiden door eten. Ze gluurt door de massa slenterende voetgangers. Hij loopt er nog steeds. Hij is ongeveer vier winkels van haar verwijderd en staat nu op de hoek van de straat stil voor een stoplicht. Dit is het perfecte moment om naar hem toe te lopen en hem aan te spreken. Ze is bijna bij hem in de buurt, als het stoplicht op groen springt. Mystery Man blijft rechtdoor lopen en zij blijft achter hem lopen. Wat moet ze nu doen? Een stukje joggen en hem op zijn rug tikken? Ze zijn nog steeds op de grote weg in de binnenstad.

Een stukje verder slaat hij linksaf. Laura loopt hem achterna. Er zijn minder mensen hier. Aan de linkerkant van de straat zijn hoge gebouwen. Dit zijn voornamelijk gebouwen van de universiteit. Aan de rechterkant is water. Hier loopt een soort vertakking van de gracht, richting een andere gracht. Na een tijdje is er eigenlijk bijna niemand meer en krijgt ze het behoorlijk benauwd. Waar is ze mee bezig? denkt ze ineens. Ze is hem gewoon aan het achtervolgen! Wat voor gestoord persoon doet zoiets? Maar ze kan ook niet meer stoppen. Ze wil weten waar hij heengaat. Gelukkig heeft ze sneakers aan en geen klikklakkende hakken. Haar hart bonst in haar keel. Als hij zich nu ook maar een beetje omdraait, ziet hij haar. En ze heeft geen idee wat ze moet zeggen.

Ineens staat hij stil. Er zit niets anders op dan ook stil te staan. Ze houdt haar adem in. Hij heeft haar vast gezien in de weerspiegeling van de ruiten en nu gaat hij zich omdraaien om te vragen waarom ze hem in hemelsnaam achtervolgt. In gedachten vervloekt ze Iris en haar domme plan. Maar dan ziet ze wat hij doet. Hij neemt een laatste slok thee en mikt de beker vervolgens in de prullenbak.

Pluspuntje voor hem, denkt Laura. Hij denkt aan het milieu. Hij blijft nog een stukje rechtdoor lopen en slaat uiteindelijk een keer links- en een keer rechtsaf. Hij heeft niet achterom gekeken en heeft als het goed is nog steeds niet door dat ze achter hem loopt. Laura begint inmiddels lol te krijgen in de achtervolging. Oké, het is een beetje raar dat ze een wildvreemde achterna loopt. Maar het is zo'n spannend idee dat zij precies weet wat hij doet en dat hij geen idee heeft dat hij in de gaten gehouden wordt! En de kans dat ze betrapt wordt is nihil. Dat snapt ze inmiddels. Niemand draait zich midden op straat zomaar om. Ze kan hem zo natuurlijk nog aanspreken. Maar ze kan ook gewoon kijken waar hij heen loopt om erachter te komen waar hij woont. Als ze meer over hem weet, wordt het vast minder eng om hem mee uit te vragen.

Ze zijn nu in een klein woonwijkje, vlak bij het centrum. Je hebt hier smalle, kronkelende straten met veel bomen. De huizen hebben geen voortuinen. Sommige mensen hebben bankjes voor hun deur staan, die vast zitten met stevige sloten. Ze houdt haar pas een beetje in, zodat de afstand tussen hen iets groter wordt. Het is hier wel erg rustig, dus ze moet een beetje oppassen. Af en toe komt er een fietser voorbij en aan de overkant lopen ook een paar mensen. Verderop in de straat is het iets drukker. Dit is echt een mooie buurt, denkt ze. Zo dicht bij het centrum en toch zo rustig. Zou hij hier wonen? Ze ziet al helemaal voor zich hoe ze in de zomer op een van die bankjes zitten met een glas rode wijn. Ze proosten op elkaar en het goede leven. Het licht van de ondergaande zon weerspiegelt in zijn heldere ogen. Hij leunt voorover om haar te kussen en…

En hij loopt ineens een hek door! Even verderop houden de huizen op en is er een laag gietijzeren hek met daar achter een plein. Ze kan nu nog niet zien waar het plein op uitkomt. Een appartementencomplex misschien? Winkels? Ze loopt verder totdat ze bij het huis naast het plein is. Voorzichtig gluurt ze de hoek om. Ze ziet nog net hoe hij de deur door loopt. Er zijn meer mensen op het plein. De mensen die naar binnen lopen, zijn alleen. De mensen die naar buiten lopen hebben allemaal hetzelfde bij zich. Een kind.

6

Shit, denkt Laura. Een kinderdagverblijf. En nu? Ze kan weglopen, maar dan weet ze nog niet waar hij woont of waar hij heen loopt. Ze kan in ieder geval blijven om te kijken wat er gebeurt. Al kan ze dat wel voorspellen natuurlijk.

En ja hoor, vijf minuten later komt Mystery Man weer naar buiten, met hetzelfde accessoire als alle andere mensen hier. Een kind. Het is hetzelfde schattige jongetje waar hij eerder al mee naar Barista! was gekomen. Hij heeft dit keer geen kinderwagen, maar draagt het jongetje op zijn arm. Laura's hart smelt. Haar eierstokken rammelen lang niet zo hard als die van Iris, maar een stoere man met een kindje is té schattig. Ze is niet de enige die dat vindt, want alle moeders op het plein kijken naar hem om. Ze voelt een steek van jaloezie. Dit is háár Mystery Man.

Laura staat nog steeds bij het huis naast het plein. Gelukkig staat er een grote struik, waar ze zich een beetje achter kan verbergen. Ineens bedenkt ze zich dat ze natuurlijk niet weet of hij zo rechts afslaat en verder de straat in loopt, of dat hij links afslaat, terug waar hij vandaan kwam en langs Laura. Het zou al best gênant zijn om hem op straat tegen te komen,

maar als hij haar in een struik ziet staan naast het kinderdagverblijf van zijn zoontje, kan ze net zo goed meteen 'stalker'
op haar voorhoofd schrijven. Hij loopt nu met grote passen
in de richting van het hek. Als hij de straat niet oversteekt en
links afslaat, kan hij ieder moment langs haar lopen. Ze sluit
haar ogen en houdt haar adem in. Niet dat dat helpt, maar ze
kan even niets anders bedenken.

Na een paar seconden opent ze haar ogen weer. Ze ziet tot
haar grote opluchting dat hij de andere kant op loopt. Opgelucht ademt ze uit. Ze stapt achter de struik vandaan, klopt
de takjes van haar jas en loopt hem achterna. Hij is nu zo'n
tien huizen van haar verwijderd en loopt een stuk harder
dan daarnet. Misschien heeft hij haast, denkt ze. Ze jogt een
beetje om iets dichterbij te komen. Hij blijft rechtdoor lopen.
Het straatje loopt in een bocht naar rechts en komt uit op een
grote weg. Hij steekt de weg over en loopt een andere wijk in.
Laura blijft hem volgen. Ze kent het wijkje waar ze nu lopen
wel. Het is een stuk minder chic dan de straat van het kinderdagverblijf. Aan de rechterkant van de weg zijn flats en links
zijn rijtjeshuizen. De meeste huizen hebben satellietschotels.
Een vriendin van haar woont hier. Schotelcity, noemen ze het
altijd. Op zich zit je hier nog dicht bij de binnenstad en is het
qua locatie niet verkeerd, maar toch zou ze hier niet willen
wonen. Ze kan niet precies uitleggen waarom, want ze heeft
hier nog nooit iets vervelends meegemaakt. Het is gewoon
een gevoel.

Er rijden veel auto's door de straat en er lopen ook aardig
wat mensen. Mystery Man loopt nog steeds behoorlijk door.

Wanneer hij even stil staat, denkt Laura dat hij misschien is waar hij moet zijn, maar alles wat hij doet is het jongetje op een andere arm pakken. Daarna loopt hij weer verder. Laura loopt nu iets dichterbij en het jongetje hangt nu wat meer over de schouder van Mystery Man. Hij heeft zwarte krulletjes en grote bruine ogen. Ja, denkt Laura. Dit zou zomaar zijn zoon kunnen zijn. Het is echt een mini-Mystery Man. Het enige dat ontbreekt is een leren jasje. Ineens lijkt het jongetje haar op te merken. Zijn ogen worden groter en hij kijkt haar vrolijk aan. Hij wappert met zijn handjes en maakt een kirrend geluid. Hij zou haar toch niet herkennen? Ze loopt ongeveer vijf of zes geparkeerde auto's achter hen en is van deze afstand goed te zien. Maar het joch is... wat zou het zijn... anderhalf, maximaal twee? En ze heeft hem één keer gezien bij Barista!. Hij is godzijdank nog niet oud genoeg om te zeggen: *hé, die mevrouw van de koffiebar achtervolgt ons!* In plaats daarvan maakt hij brabbelende geluidjes. Mystery Man reageert niet, maar het jongetje blijft haar recht aankijken en geluid maken. Ze krijgt het hier een beetje benauwd van. Straks gaat hij hem vragen wat er aan de hand is en wijst het jongetje beschuldigend naar haar. Ze vertraagt haar pas en kijkt om zich heen of ze zich ergens kan verstoppen, mocht het nodig zijn. Net als ze zich afvraagt of ze hier mee op moet houden, slaat hij rechtsaf. Hij loopt geen straat in, maar een binnentuin waar meerdere flats aan grenzen. Laura jogt naar de ingang van de tuin en gluurt het hoekje om. Mystery Man loopt over het middelste pad en slaat dan rechtsaf. Ze kan hem niet meer zien nu. Het is riskant om het pad op te lopen. Het is waarschijnlijk niet echt de bedoeling dat je hier komt als je hier niet moet zijn, maar ze kan haar nieuwsgierigheid nu niet meer in bedwang houden. Is dit de plek waar hij woont? Alleen? Of samen? Ze loopt het pad op. Rechts is een flatgebouw en links een grasveld. Vlak voor de kruising blijft ze staan. Ze sluipt langs de rand van de flat, kijkt voorzichtig naar rechts en ziet nog net hoe hij de hoofdingang van een van de flats aan de andere kant van de tuin in loopt. Het is een galerijflat, dus als het goed is ziet ze hem zo ergens boven verschijnen.

Het gebeurt sneller dan ze denkt. Na zo'n tien seconden verschijnt hij op de eerste verdieping. Bij de derde deur klopt hij aan. Dat is raar, denkt Laura. Als hij daar woonde, zou hij niet aankloppen. Een vrouw doet open. Ze heeft lang, donker haar. Laura kan vanaf hier haar gezichtsuitdrukking niet zien, maar ze ziet wel dat ze haar armen uitstrekt en het jongetje optilt. Mystery Man geeft haar een zoen op haar wang. Hij zwaait en loopt weer weg.

Ze sluit haar ogen even en leunt met haar rug tegen de muur van de flat. In gedachten doet ze een klein vreugdedansje. Hij heeft geen vriendin! Het meisje dat opendeed is waarschijnlijk zijn ex. Oké, en nu wegwezen voordat hij terugkomt. Ze opent haar ogen en gluurt het hoekje om.

Te laat.

Hij stapt net door de deur van het flatgebouw en loopt over het kleine pad richting de kruising waar Laura zich verstopt. Ze kan geen kant op. Als ze zich nu omdraait en snel de binnentuin uit loopt, ziet hij haar. Als ze blijft staan, ziet hij haar ook. Ze hoort zijn voetstappen. Hij kan haar nog niet zien, maar als hij zo de hoek omslaat wel. In een nanoseconde neemt ze een beslissing. Ze springt het pad op en loopt met haar hoofd naar beneden de hoek om, in de richting van de flat, in de hoop dat ze hem zo voorbij loopt en hij haar niet opmerkt.

Ze voelt een duw tegen haar schouder en kijkt automatisch op. Geweldig. Ze is recht in zijn armen gelopen.

'O, sorry!' zegt hij.

'Maakt niet uit,' mompelt ze. Ze haalt nerveus een hand door haar haar.

'Hé!' roept hij uit. 'Dat is toevallig.'

'Euh… ja!' Ze moet natuurlijk verrast reageren. Hij moet denken dat dit voor haar net zo'n verrassing is als voor hem.

'Van Barista! toch?' vraagt hij aarzelend. Hij haalt een hand door zijn haar. 'Nou ja, je hebt natuurlijk zo veel klanten iedere dag en… euh…'

'Nee!' flapt ze eruit. 'Of ik bedoel, ja! Ik herken je, hoor. 's Ochtends een espresso en 's middags een thee.'

Hij glimlacht. 'Weet je dat van iedereen?'

'Nee, niet van iedereen.' Ze kijkt verlegen naar de grond.

'Wat toevallig dat ik je hier tegenkom! Woon je hier ook?'

'Euh… ja… euh…' mompelt ze. Hoe gaat ze zich hieruit redden? 'En jij?'

'Ik woon daar.' Hij maakt een draaiend gebaar met zijn hand. Het kan betekenen dat hij in de flat hier achter woont. Of misschien bedoelt hij deze wijk of de wijk hierachter. 'Ik zag je al niet bij Barista! net.'

'Ik moest eerder weg.'

63

Het gesprek valt een beetje dood. Ze kijken allebei nerveus naar de grond.

'Ik ben...'

'Heb je...'

Oké, nu praten ze door elkaar. Dit gaat lekker, Laura, denkt ze. Ze knikt naar hem om aan te geven dat hij zijn zin mag afmaken.

'Ik ben Malik, trouwens,' zegt hij.

'Laura,' zegt ze. Ze steekt haar hand uit en kijkt hem van onder haar wimpers aan. Hij schudt haar hand. Haar vingers sluiten zich om de zijne, haar handpalm raakt die van hem. Ze kijkt hem recht in zijn ogen en hij kijkt weer zo naar haar... alsof hij alles ziet wat ze denkt. Ze krijgt het warm. En trekt haar hand terug.

'Laura,' herhaalt hij. Hij laat haar naam langzaam over zijn lippen rollen. Daarna lacht hij, alsof haar naam hem wel bevalt. 'Ik zie je wel weer bij Barista! denk ik. Morgen?' vraagt hij.

'Ja, morgen,' stamelt ze. 'Tot morgen.'

'Malik? Wat een mooie naam.' Iris schenkt Laura nog een glas rode wijn in. Laura is direct na de achtervolging en mislukte poging om hem mee uit te vragen naar Iris gegaan, om daar aan te schuiven voor het eten. David moet overwerken, dus ze zijn met zijn tweetjes. Laura is blij dat hij er niet is. David is een lieve jongen, maar het probleem van in je eentje gaan eten bij mensen die samenwonen, is dat je vaak een beetje ongemakkelijk met zijn drietjes aan tafel zit en niet echt kunt bijkletsen met je vriendin.

'Ja, vind ik ook,' antwoordt ze, terwijl ze een kaaskoekje pakt. 'Lekker dit,' zegt ze met haar mond vol.

'Zelf gemaakt!' roept Iris, terwijl ze naar de keuken loopt. 'Ik moet even naar de oven.'

Laura neemt een slok. De wijn trekt een warm spoor van haar keel naar haar borstkas. Ze weet niet meer precies wat Iris aan het koken was – iets met wijn, vis en groene asperges of zo – maar het ruikt echt heerlijk. En dit soort dingen eet zij dus altijd op een doordeweekse dag. Dat weet ze nog van toen ze samen in het studentenhuis woonden. Haar huis ziet er ook zo opgeruimd uit. Alles is netjes en afgestoft. Iris en David hebben een eengezinswoning in een buitenwijk van de stad, in zo'n typische straat met grote rijtjeshuizen waar 's ochtends om kwart over acht alle voordeuren tegelijk opengaan en de moeders met bakfietsen hun kinderen naar school brengen en de vaders in de auto stappen naar hun werk. Dat is precies wat Iris en David over een tijdje ook willen. Ja, denkt Laura, ze hebben het goed voor elkaar. Ze weten wat ze willen en ze hebben zo'n... volwassen leven. Met een opgeruimd huis en groene asperges in de oven... Ze denkt aan de ontplofte puinzooi in haar eigen mini-appartement en de restjes kruidnoten en chips die ze morgenochtend als ontbijt zal moeten eten omdat ze weer eens is vergeten om op tijd boodschappen te doen. Nee, een leven met de ideale man in het ideale huis heeft ze nog lang niet. In plaats daarvan heeft ze zojuist als een klein kind iemand achtervolgd. Toch krullen haar mondhoeken vanzelf omhoog als ze denkt aan de 'toevallige' ontmoeting van daarnet. Malik...

Iris komt de kamer weer in met een ovenschotel heerlijk eten. 'Wat zit jij te glimlachen!' zegt ze. 'O, je denkt aan Malik! Ik vind het zo leuk dat Mystery Man nu een naam heeft. En het klinkt ook zo leuk, vind je niet? Malik en Laura. Laura en Malik…'

'Laten we niet op de zaken vooruit lopen,' zegt Laura, maar ze kan niet ophouden met glimlachen.

'Maar vertel! Je was net bij het gedeelte dat je expres tegen hem op botste. Wat gebeurde er toen?'

'Ten eerste, dat was niet expres. Ten tweede, nou ja, niet zo veel eigenlijk. Hij herkende mij en ik hem en hij vroeg of ik daar ook woonde en toen zei ik geloof ik ja.'

'Oeps…'

'Ja, ik wist zo snel niet wat ik moest zeggen! En toen zei hij dat hij Malik heette en toen schudde ik zijn hand en zei ik dat ik Laura heette.'

'En toen staarden jullie elkaar weer zo lang aan.'

'Ik heb geen idee.' Laura voelt haar wangen branden en kijkt naar haar bord. Iris heeft inmiddels opgeschept.

'Ik weet het wel zeker. O, je moet hem mee uitvragen! Of misschien vraagt hij jou nu wel mee uit!'

'Ik weet het niet,' zegt Laura, terwijl ze een slok van haar wijn neemt. Ze krijgt het nog warmer dan ze het al had. 'Een date… ik vind het eigenlijk nogal angstaanjagend. Ik bedoel, mijn liefdesleven stond de afgelopen jaren op een laag pitje en…'

'Een laag pitje?' onderbreekt Iris haar. 'Laura, het pitje was zo goed als uit.'

'Oké, oké, het pitje was uit. Maar dat is omdat ik gewoon eerst alles op orde wil hebben voordat ik aan een relatie begin.'

'Wat moet je allemaal op orde hebben dan?'

'Nou, mijn baan om te beginnen. Ik heb altijd een plan gehad. Eerst studeren, dan een goede baan, dan de perfecte jongen met blonde krullen.'

'Laat dat beeld van die blonde jongen toch eens los. Het hoeft toch niet per se zo te gaan?' antwoordt Iris.

'Jij kan hier onmogelijk commentaar op hebben, Iris. Jij had ook zo'n plan en bij jou is bijna alles gelukt.'

'Mmm,' zegt Iris bedachtzaam, terwijl ze fronst en een aardappeltje in haar mond stopt. Als ze haar mond leeg heeft gegeten, gaat ze verder: 'Ik heb iets gemaakt als toetje en ik ben zo benieuwd wat je ervan vindt!'

'Je verandert van onderwerp.'

'Niet!'

'Wel.'

'Oké. Maar ik meen het, dit móét je proeven.'

7

'O. Mijn. God. Iris, wat is dit?' Laura neemt nog een hap. Ze proeft zachte cake, pittige koffiesmaak, zoete gesmolten chocola en knapperige... 'Zijn dit kruidnoten?' zegt ze met haar mond vol. Ze zijn na een goddelijke maaltijd op de bank voor de televisie geploft en hoewel ze niet dacht dat ze nog iets kon eten, bleek het toetje er toch nog prima in te kunnen.

'Het zijn espresso-chocolade-kruidnotenmuffins.' Iris kijkt verwachtingsvol naar haar vriendin. 'En?'

'Dit is fantastisch!' zegt Laura met haar mond weer half vol. 'Heb je dit zelf bedacht?'

Iris knikt trots. 'Ik heb er nu vierentwintig gemaakt, maar ik zet er vanavond nog meer in de oven, zodat ik er morgen achtenveertig heb. Nou ja, min de muffins die wij nu opeten.'

'Achtenveertig? Wanneer is het feestje?' Laura's gedachten schieten razendsnel langs haar mentale verjaardagskalender. Iris is toch pas in januari jarig?

'Morgen,' zegt ze. 'Bij Barista!'

Luigi is stil. Ook Sophie zegt niets. Ze staan met zijn vieren achter de toonbank. Nog een kwartier en dan gaat de bar open. Het is nog donker buiten en de lampen werpen een gele gloed op de houten meubels. Laura neemt nog maar eens een hap van haar muffin en Iris kauwt gespannen op haar lip. 'En?' vraagt ze.

'Iris. Dit is geweldig,' zegt Luigi.

'Mmm. Ja,' mompelt Sophie met haar mond halfvol.

'Maar waar hebben we dit aan te danken?' vraagt Luigi. 'Ben je jarig?'

Iris schudt haar hoofd. 'Nee, ik ben niet jarig. Ik heb ze gebakken voor Barista!. Ik weet hoe je over muffins, brownies en taart denkt, Luigi, maar ik dacht dat we er misschien een leuke Sinterklaasactie van konden maken om zo meer klanten te trekken. Aangezien je laatst vertelde dat Barista! er financieel niet zo goed voorstaat…'

'Euh… ja, zet ze maar op de toonbank.' Luigi kijkt naar de grond. 'Maar eerlijk gezegd denk ik niet dat een mand muffins Barista! gaat redden. Hoe lekker ze ook zijn.'

'Is het zo erg?' vraagt Laura verbaasd.

'Het spijt me dames.' Luigi kijkt de barista's nu een voor een aan. 'Ik heb het zelf te lang niet willen zien. De reden dat ik de laatste weken meer in het kantoor zit dan in de bar sta, is dat ik met leveranciers aan de telefoon zit. Ik heb zo veel betaalachterstanden, dat ik niet meer weet hoe ik dit ga oplossen. Ik hoopte dat alles in september, als alle studenten er weer waren, zou bijtrekken. Maar ze gaan allemaal naar de overkant.'

'En nu?' vraagt Sophie.

'Het is even afwachten nog,' zegt Luigi. 'Ik heb dit weekend weer een afspraak met de boekhouder. En mijn broer wil me ook helpen.' Hij legt zijn handen voor zijn gezicht. Als hij ze weer laat zakken, glimlacht hij, alsof hij zijn slechte bui eraf heeft geveegd. 'Iris, ik ben je echt dankbaar,' gaat hij verder. 'Heel lief van je, die muffins. Alle kleine beetjes helpen. Ik zie jullie zo weer. Ik ga even naar het magazijn.'

De drie barista's wachten tot hij buiten gehoorafstand is. Laura is de eerste die iets zegt. 'We moeten iets bedenken,' zegt ze. 'Ik wist niet dat het er zo slecht voorstond. Hij had eerder iets moeten zeggen.'

'Ik denk dat hij het moeilijk vond om te vertellen,' zegt Iris. 'Ook omdat jij al vaker hebt aangekaart dat Barista! moet vernieuwen en Luigi nooit luisterde. Ik denk dat hij zich daar nu een beetje voor schaamt.'

'Denk je?' zegt Laura. 'Nou ja, dat "goede koffie verkoopt zichzelf"-riedeltje van hem gaat in ieder geval niet meer op. We moeten iets verzinnen om meer klanten te trekken. Als we na het weekend onze plannen naast elkaar leggen, kunnen we kijken wat haalbaar is.'

'Goed idee!' zegt Sophie. Laura was eerlijk gezegd vergeten dat ze er was. Stiekem denkt ze dat het best kostenbesparend zou zijn als Sophie hier niet meer zou werken. Maar om dat nu hardop te zeggen… Ze moeten nog de hele dag en de sfeer is al niet optimaal. Ze staart naar buiten. En schrikt. Er loopt een groep jongens langs en een van hen lijkt wel…

'Wat is er?' fluistert Iris. 'Kijk je naar die blonde krullenbol?'

'Huh… ja… ik dacht even dat…' zegt ze afwezig. Maar ze ziet vast spoken.

'Verkeerde krullenbol, Laura. Malik is veel leuker!' Iris knipoogt naar haar.

Een half uur later zijn er al zeker tien muffins verkocht. En het is ook behoorlijk druk, gelukkig. Dat is goede afleiding, want Laura heeft nogal een knoop in haar maag. Ze krijgt een beetje een onbestemd gevoel als ze denkt aan de problemen van Barista!. Ze zeurt altijd over Luigi en ze klaagt over de gammele stoelen, de taaie koekjes en de opstaande Perzische tapijten die iemand nog een keer een dwarslaesie gaan bezorgen, maar dit is haar thuis. Het was nooit de bedoeling om hier zo lang te blijven werken, maar ze moet er niet aan denken dat Luigi echt failliet zou gaan. Behalve dat het ontzettend sneu zou zijn voor Luigi, zou het voor haar zelf ook een kleine ramp zijn. Waar zou ze moeten werken? De banen liggen nou niet bepaald voor het oprapen. Bovendien zou ze Malik niet meer zien. Sinds ze hem gisteren op straat tegenkwam, heeft ze zo vaak gedacht aan wat hij zei, hoe hij het zei, hoe hij keek… Ze wordt er vrolijk van maar tegelijkertijd is ze bang. Bang dat het geflirt allemaal nergens toe leidt… en bang dat het wél ergens toe leidt.

Laura werkt zo hard dat het voor ze het goed en wel doorheeft ineens half negen is. Het is nog steeds heel druk. Sophie en Iris staan achter de toonbank en voorzien alle studenten en forenzen van cappuccino's en lattes to-go. Het komt bijna nooit voor op dit tijdstip, maar de tafeltjes zijn ook bijna allemaal bezet. Misschien heeft het nieuws over de goddelijke muffins zich binnen een uur al door de hele stad verspreid, of misschien is iedereen de lange rijen aan de overkant eindelijk zat. Hoe dan ook, Malik kan ieder moment komen en ze staat niet achter de toonbank. Luigi vond het handig dat Iris er stond om de muffins aan te prijzen en dat Sophie wat meer handigheid kreeg met de kassa en de melkopschuimer. Ze kon er moeilijk iets tegenin brengen, maar nu bestaat het gevaar dat ze hem misloopt. Terwijl ze een blad met muffins, cantuccini en muntthee naar een tafel in de hoek brengt, gluurt ze nerveus naar de deur. Ze neemt een bestelling op van twee tafels en loopt extra langzaam terug naar de toonbank. Als hij nu binnenkomt, kan ze hem nog aanspreken terwijl hij in de rij staat. Bij het espressoapparaat treuzelt ze. Iris trekt veelbetekenend haar wenkbrauwen op. 'Hij is nog niet geweest, hoor,' fluistert ze, terwijl ze naast Laura staat om een muntthee klaar te maken.

'Ik weet het! Ik hou het goed in de gaten,' zegt ze zachtjes. 'Maar misschien komt hij helemaal niet meer.'

'Huh? Wat? Natuurlijk komt hij wel!'

'Misschien heeft hij stiekem toch een vriendin of vrouw en heeft hij besloten dat hij beter niet meer kan flirten met koffiemeisjes,' fluistert ze naar Iris.

'Niet zo negatief!' Iris port haar speels in haar zij. 'Hij komt zo echt wel en dan vraagt hij je mee uit. Ik weet het zeker.'

Laura loopt lachend met haar blad vol koffie en thee naar de andere kant van de bar. Iris is altijd zo positief. Daar zou ze wat vaker een voorbeeld aan moeten nemen. Ze brengt de bestellingen naar de tafels. Als ze zich omdraait naar de toonbank, ziet ze dat Malik binnenkomt. Hij sluit aan in de rij. Een perfect moment om hem even te spreken. Hij ziet haar nu ook en lacht. Laura's hart maakt een kleine salto. Ze loopt op hem af, maar onderweg wordt ze aangehouden door een groepje meisjes aan een tafel bij het raam. Ze willen weten wat er in de muffins zit. Trots legt ze uit dat het espresso-chocolade-kruidnotenmuffins zijn. Exclusief verkrijgbaar bij Barista! en een uniek recept van haar collega Iris. Ze gebaart naar de bar en kijkt ondertussen stiekem naar Malik. Hij glimlacht weer naar haar. Hij heeft nog twee mensen voor zich en staat helaas in de rij van Sophie en niet in die van Iris. De meisjes zijn tevreden met Laura's uitleg over de muffins. Ze loopt weer verder, recht op haar doel af, met een grote glimlach op haar gezicht.

'Hallo? Mevrouw?' klinkt het ineens achter haar. Laura draait zich om. Een man aan de grote leestafel in het midden van de bar zwaait ongeduldig met zijn hand. 'Welke theesoorten hebben jullie allemaal?'

Tja, dit kan ze natuurlijk moeilijk negeren. 'Earl Grey, jasmijn, kamille en verse muntthee,' zegt ze zo snel als ze kan. 'Wilt u een kopje thee bestellen?'

'Nee, nee.' De man zucht en fronst, alsof haar antwoord hem diep teleurstelt. 'En dit is niet de krant van vandaag,' gaat hij verder, terwijl hij een exemplaar van de Telegraaf in de lucht wappert.

'Nee, dat klopt, dat is die van gisteren,' zegt Laura. 'Die van vandaag ligt daar.' Ze wijst ongeduldig naar een stapeltje kranten verderop op tafel.

'Maar waarom ligt deze er dan nog?'

Laura zucht. Dit ga je niet menen, denkt ze. Heeft het universum deze man op haar afgestuurd zodat ze Malik niet te spreken krijgt?

'Ik neem de krant zo wel mee. Kan ik nog iets voor u betekenen?'

'Een espresso, alsjeblieft,' zegt de man.

Laura grist de krant van tafel en draait zich snel om, voordat hij een opmerking kan maken over de langzame Wi-Fi, de smoezelige tapijten of de taaie cantuccini. Malik is helaas al aan de beurt en staat te kletsen met Sophie. Achter hem staat niemand meer, dus Sophie heeft alle tijd om een praatje met hem te maken. Ze ziet hem lachen naar Sophie en voelt een steek van jaloezie. Als ze bijna bij de toonbank is, ziet ze dat Malik Sophie iets geeft. Het is geen geld, maar een briefje waar iets op gekrabbeld staat. Sophie stopt het briefje in haar zak. Laura is zo verbaasd dat ze niet weet hoe ze hier op moet reageren. Staat hij nu telefoonnummers uit te wisselen met Sophie?

'Hoi, Laura!' zegt Malik enthousiast. Hij lijkt zich totaal niet ongemakkelijk te voelen over het briefje.

'Hé, Malik,' antwoordt ze. Hij glundert, alsof hij blij is dat ze nog weet hoe hij heet. Iris is net bezig bij het espressoapparaat en het geluid van de melkopschuimer zorgt ervoor dat ze niets meer tegen elkaar kunnen zeggen. Er staat een klant achter Malik en Laura moet eigenlijk de koffie voor de vervelende man klaarmaken. Ze hopt nerveus van de ene op de andere voet en Malik lijkt haar dansje te imiteren.

'Kan ik je helpen?' zegt Sophie overdreven hard tegen de

vrouw die achter Malik staat. Hij wordt daardoor gedwongen om aan de kant te gaan, maar kan hierdoor wel naar de zijkant van de bar lopen en verder kletsen met Laura. Onbedoeld helpt Sophie haar dus. Net goed, denkt ze. In gedachten steekt ze haar tong naar haar uit.

'Ik euh… ik vond het leuk dat ik je gisteren tegenkwam,' zegt hij, wanneer Iris geen geluid meer maakt met de melkopschuimer.

'Ik ook,' zegt Laura, die haar filterdrager vult met gemalen bonen.

'Ik heb nu tenminste een naam bij het gezicht,' zegt hij. 'Laura.'

Ze drukt de houder in het apparaat, zet een kopje neer en drukt op de knop die de espresso gaat zetten. Ze kan een glimlach niet onderdrukken. 'Malik,' zegt ze zachtjes, maar wel zo hard dat hij het hoort. Niet te enthousiast flirten, Laura, zegt ze in gedachten tegen zichzelf. Ze denkt aan het briefje voor Sophie. Ze zet de espresso op het blad, pakt het op en loopt achter de bar vandaan. Ze staat nu recht voor hem, met alleen het blad tussen hen in. Hij kijkt haar met zijn bruine ogen veelbetekenend aan. Ze staart verlegen naar haar blad.

'Ik moet…' begint ze.

'Heb je…' zegt hij.

Oké, nu praten ze weer door elkaar.

'Ik moet deze espresso naar een ongeduldige klant brengen,' zegt ze.

'Oké.' Hij knikt begripvol. 'Ik wilde je alleen vragen of je zin hebt om een keer iets af te spreken.'

8

'Wat doe je aan?'

'Ik heb er nog niet over nagedacht.'

'Natuurlijk heb je daar over nagedacht.'

'Oké, je hebt gelijk,' verzucht Laura. 'Zullen we daar gaan zitten?' Ze baant zich met een blad vol koffie en taart een weg door de drukke koffiebar. Iris loopt achter haar aan. Alleen achterin is nog een tafeltje vrij. Het is zaterdagmiddag en Laura en Iris zijn op bezoek bij de concurrentie om zo ideeën op te doen voor Barista!. Ze gaan zitten aan het kleine vierkante tafeltje. De oude schoolstoelen die er staan zien er hip uit, maar zitten alles behalve comfortabel. De ongelijke vloer is van beton en de verfspetters die erop zitten, zien er verdacht nep uit.

'Dat het hier zo vol zit!' zegt Iris verbaasd. 'Die stoelen zitten echt niet lekker.' Ze trekt haar jas uit en pakt een vork om de brownie en carrot cake aan te vallen. 'Wat?' zegt ze, wanneer Laura haar blijft aanstaren.

'Ga je die zonnebril nog afzetten? Het is november. Bovendien zijn we binnen.'

'Maar we zijn op spionagemissie,' fluistert Iris, terwijl ze zich voorover buigt naar Laura.

'En dan doe je er alles aan om zo veel mogelijk op te vallen? Iedereen kijkt naar je, Iris.'

Iris kijkt om zich heen en zet de zonnebril af. 'Je hebt gelijk. Maar ik was bang dat iemand ons zou herkennen van Barista!'

'En wat dan nog? Het is niet verboden om ergens anders koffie te drinken.' Laura neemt een slok van haar cappuccino. 'Niet onaardig,' oordeelt ze.

'Oké, we maken zo een lijstje met prijzen, plus- en minpunten en redenen dat het hier zo achterlijk druk is,' zegt Iris. 'Eerst terug naar belangrijkere zaken. De date met Malik en je outfit.'

Laura staart glimlachend naar het hartje in haar cappuccino en denkt terug aan het moment dat ze het blad met koffie bijna over zichzelf heen kieperde omdat ze zo schrok van zijn vraag. Ze stamelde met een hoofd als een boei dat het haar leuk leek en na wat heen en weer gehakkel over de plaats en tijd, spraken ze af om dinsdagavond iets te gaan drinken. 'Ik heb nog even om over mijn outfit na te denken,' zegt ze, 'maar ik denk dat hij niet zulke hoge verwachtingen heeft, aangezien hij mij alleen nog maar in een spijkerbroek, zwarte trui en zwart schort gezien heeft.'

'Dat is waar, maar ik zou niet in een *snuggie* gaan als ik jou was.' Iris neemt een hap van de carrot cake en trekt een vies gezicht. 'Dit is echt heel droog,' zegt ze met volle mond.

'Ik denk dat ik ga voor een simpele zwarte broek. En verder een topje en een vestje.' Laura neemt een hap van de carrot cake. 'Heel droog inderdaad.'

'Mmm, ja. Oké. Goede keuze. Simpel, maar elegant. Niet te overdreven. Hakken?'

'Geen hakken. Straks ben ik langer dan hij. Ik heb dinsdag vrij, dus ik heb dan nog de hele dag om me daar druk over te maken.'

'En waar gaan jullie heen?'

'We hebben om negen uur afgesproken voor het oude postkantoor aan de gracht. Dan kunnen we kijken waar we heen gaan. Op een dinsdag zal het wel niet heel druk zijn overal.'

'Slim, zo'n dinsdagavonddate. Niet uit eten, dus je zit niet verplicht urenlang aan een tafel. Mocht het tegenvallen, dan kun je altijd zeggen dat je de volgende ochtend heel vroeg op moet en dan ben je zo weg.'

'Denk je dat het gaat tegenvallen?' vraagt ze verbaasd. Ze heeft de afgelopen dagen zo veel vreugdedansjes gedaan, dat ze er niet eens over na heeft gedacht dat het ook kan tegenvallen. Straks hebben ze elkaar helemaal niets te melden en is het vreselijk saai.

'Nee!' roept Iris. 'Natuurlijk gaat het niet tegenvallen. Het wordt superromantisch en geweldig.'

'Ik hoop het.'

'Vind je het eng?'

'Ik vind het zo eng dat ik een halve hyperventilatieaanval krijg als ik er aan denk. Ik hoop ook eigenlijk dat ik Malik maandag niet meer zie. Ik word er veel te zenuwachtig van.'

'O, ik vind het zo spannend!' Iris klapt in haar handen. 'Ik ben zo jaloers! Ik wou dat ik nog zulke spannende dingen meemaakte.'

'Nou, Iris!' zegt Laura, terwijl ze nog een hap van de droge carrot cake neemt. 'Alsof jij zo'n saai leven hebt. Je hebt je perfecte droomman gevonden en jullie wonen samen. Dat is toch spannend en leuk?'

'Ja...' zegt Iris zachtjes. 'Dat is het ook wel... het is alleen... David moet zo vaak overwerken. Ik zie hem zo weinig. En hij vindt het niet leuk dat ik bij Barista! werk.'

'Huh? Waarom niet?'

'Ik was niet de enige met een plan. David had ook in zijn hoofd hoe hij alles wilde en hij had gewoon gehoopt dat wij nu allebei een goede baan zouden hebben, zodat we een auto konden kopen en konden sparen voor een reis naar Amerika. Ik snap hem wel...'

'Ik niet. Maarre...' Ze buigt iets dichter naar Iris toe, '...ik begrijp dat het dus niet meer zo spannend is allemaal?'

'Nou ja, het is echt niet zo dat we alleen nog ABC-seks hebben...'

'ABC-seks? Wat is dat?' Laura doet een poging met haar vork een stukje van de brownie af te breken, maar het lijkt wel een baksteen. Er vallen alleen een paar kruimeltjes op het bord.

'ABC-seks! Heb je daar nog nooit van gehoord?'

'Nee.'

'*Anniversaries, Birthdays, Christmas.* Dat je alleen nog op die dagen seks hebt, zeg maar. Dat ken je natuurlijk niet als je single bent.'

'Omdat ik nooit anniversaries, birthdays of christmas met iemand kan vieren? Nou zeg...' Laura duwt zo hard met haar vork tegen de punt van de brownie dat er een stukje afschiet en op de grond valt.

'Nee, zo bedoel ik dat niet! Ik bedoel gewoon dat je blij mag zijn dat je niet in een sleur zit. Niet dat ik daar in zit, trouwens. Want dat zeg ik net. Dat hebben we juist niet. Nog niet.' Iris zucht en zakt achterover in haar stoel.

'Laten we het ergens anders over hebben,' zegt Laura, die merkt dat Iris hier niet over wil praten. Ze is zelf ook wel klaar met het ABC-onderwerp. 'Het briefje dat Malik aan Sophie gaf.'

'O ja!' Iris leeft weer op. 'Wil je het goede of het slechte nieuws?'

'Allebei.'

'Het slechte nieuws is dat het wel echt een telefoonnummer was. Ik zag hem iets opschrijven dat begon met 06.'

'Mmm.' Laura fronst. Dit vindt ze echt niet tof.

'Het goede nieuws is dat ze niet aan het flirten waren. Ik had niet door waar het over ging, maar het leek eerder iets zakelijks.'

'Ik blijf het raar vinden. Ik heb zijn nummer niet eens!'

'Niet?'

'Nee! Ik hoop dat hij op tijd is dinsdag, want we kunnen elkaar dus niet bereiken.'

'Lekker oldschool. Nog spannender!'

Drie koffietentjes en zes gebakjes later zitten ze achter Laura's eettafel. Iris heeft een ingewikkeld uitziend Excel-bestand gemaakt en typt er op los. Laura vindt dit niet echt nodig, maar zegt er niets van. Iris is vast blij dat ze haar moeilijke statis-tiekvakken eindelijk weer een keer in de praktijk kan bren-gen. Vier koffiebars met elkaar vergelijken is natuurlijk niet echt hogere wiskunde, maar als ze hier vrolijk van wordt...

'Ben je bijna klaar? Ik zou je koffie willen aanbieden, maar...'

'Nee, alsjeblieft niet zeg,' antwoordt Iris. 'Ik heb genoeg ca-feïne voor de hele week op. Oké, ik ben klaar.' Ze draait de laptop naar Laura.

'En?'

'Nadat we data van vier verschillende koffiebars hebben verzameld, te weten Barista!, Coffee & Cake, Koffie & jij en Koffie & zo, heb ik deze geordend en in een taartdiagram ge-zet.'

'Taartdiagram, toepasselijk,' zegt Laura.

'Ik ben met behulp van statistische berekeningen op zoek gegaan naar een centrale tendens, om zo de data te analyse-ren. De variabiliteit...'

'Iris! Nederlands, alsjeblieft.'

'Het ligt niet aan de locatie en zeker niet aan de prijs en kwaliteit. Barista! heeft alles in zich om de populairste kof-fiebar van de stad te zijn... De enige factor die ik niet in mijn tabellen kwijt kan, omdat ik het niet echt kan meten, is naamsbekendheid.'

Laura knikt. 'Die taart bij Coffee & Cake is niet te eten. De stoeltjes zitten niet lekker en het ligt niet centraal. Maar ie-dereen heeft het er altijd over. Ze hebben allerlei Facebook- en Twitteracties en een hippe website en voor je het weet sta je in een blad en op een blog en vraagt iedereen elkaar of ze

al bij Coffee & Cake zijn geweest. Zo gaat dat tegenwoordig.'
Ze fronst en draait een haarlok om haar vinger. 'Er zit niets
anders op. Luigi moet aan de Facebook. Woensdag werken
we allebei. Dan moeten we het met hem bespreken.'

Iris knikt. 'Mag ik dan nu een tabel maken met mogelijke
outfits voor je date en de kans dat Malik ze leuk vindt?'

Die tabel van Iris was een grapje, maar het was zeker geen
overbodige luxe geweest. Het is dinsdagavond half acht en
Laura weet nu eindelijk wat mensen bedoelen als ze het over
garderobecrisis hebben. Nadat ze haar nagels vakkundig had
voorzien van twee lagen roze, besloot ze een half uur geleden
dat het rode vestje de beste optie was. Omdat roze en rood
vloeken, heeft ze de nagellak er weer afgehaald. Toen bedacht
ze zich dat rood misschien een verkeerd signaal afgeeft en nu
weet ze het helemaal niet meer en zit ze ook nog eens met een
roze waas op haar nagels die er niet meer afgaat. Ze is niet
iemand die zich druk maakt over nagellak en vestjes. Nooit
geweest. Maar op de een of andere manier is ze bang dat ze
Malik teleurstelt. Hij is zo'n ander type dan waar ze normaal
op valt. Misschien is hij zelf heel netjes gekleed en verwacht
hij dat ze een jurkje aantrekt.

Ze belt Iris. Die is al lang klaar met werken, maar neemt
niet op. Ze is waarschijnlijk bezig met hardlopen, spinning
of een andere nutteloze activiteit. Drie kwartier later besluit
ze dat zwart de veiligste optie is. Een zwarte broek. Een zwart
zijden topje en een zwart vestje. Met een hele hoop haarlak
probeert ze wat volume in haar bruine lokken te krijgen. Dat

waait er straks op de fiets weer allemaal uit, maar het gaat om het idee. Ze krijgt de roze waas onmogelijk van haar nagels af, dus er zit niets anders op dan ze weer roze te lakken. Terwijl ze zo voorzichtig mogelijk een laagje roze aanbrengt – nagellakken is echt een kunst – denkt ze na over haar date en slaat de twijfel weer toe. De twijfel over alles. Heeft ze wel goed begrepen dat ze echt vanavond om negen uur voor het postkantoor hebben afgesproken? Zal hij er wel zijn? Wat als hij te laat is? Ze heeft zijn nummer niet... Wat als zij te laat is? Wat als het helemaal niet leuk is?

Net als ze de laatste hand legt aan de tweede laag op haar rechterpink, gaat haar telefoon. Ze laat het apparaat op tafel liggen en drukt voorzichtig met haar wijsvinger op het speakerknopje.

'Iris?'

'Laura!'

'Ik heb je op de speaker.'

'O,' fluistert Iris. 'Wie luistert er mee?'

'Niemand. Ik heb net mijn nagels gelakt, dus kan de telefoon niet vastpakken.'

'Wat? Nu pas?'

'Geen zorgen. *60 seconds quick dry*, staat er op het flesje.'

'Laura! Hoe vaak lak jij je nagels?'

'Niet vaak, maar vandaag toch al zeker twee keer. Ze zijn al bijna droog, echt.'

'Oké. Gelukkig. Ik zag dat je had gebeld. Ik was naar Bodypump.'

'Zoiets vermoedde ik al.' Laura blaast op haar nagels. 'Ik

belde omdat ik een garderobecrisis had. Mijn rode vest vloekte met mijn roze nagels.'

'Rood en roze vloekt niet!' zegt Iris verontwaardigd.

'Wel.'

'Niet!'

'Wel. Ik ben geen Oilily-sjaal. Maar ik heb het al opgelost. Ik ga in het zwart.'

'O. Gezellig.'

'Ja, ik kan het nu niet meer veranderen! Ik heb nog vijf minuten of zo.'

'Oké, dan hang ik heel snel op. Veel plezier en laat me weten hoe het was! Doe niets wat ik ook niet zou doen. Of misschien juist wel.'

Laura lacht en hangt op. Haar nagels zijn nog niet droog en het is al vijf over half negen. Ze moet haar schoenen en jas nog aan en haar fiets nog van het slot halen. Het is een kwartier fietsen als ze hard fietst. Maar ze mag natuurlijk niet te bezweet aankomen en het zou fijn zijn als ze er iets eerder was.

Om kwart voor negen – toch iets later dan ze had gepland omdat Iris gelijk had en *60 seconds quick dry* eerder '600 seconds' bleek – loopt ze naar haar fiets. Tijd om nerveus te zijn, is er eigenlijk niet meer, want ze moet flink doortrappen, wil ze nog op tijd zijn. Nou ja, een minuut later kan eigenlijk ook wel. *Fashionably late*, noemen ze dat toch? Nadat ze met veel moeite het slot heeft losgetrokken, zwaait ze haar been over het zadel en zet ze kracht op de trappers. Haar fiets maakt een zwabberende beweging en ze voelt ieder steentje op de grond.

Ze scheldt zo hard dat de duiven en kraaien in de boom boven haar verschrikt opstijgen.

Lekke band.

9

Ze rent zo hard als ze kan haar straat uit naar de grote door-
gaande weg. De koude wind snijdt in haar wangen. De kale
takken van de bomen waaien hard heen en weer, alsof ze af-
keurend hun hoofd naar haar schudden. Als ze nu gelijk op
een bus kan springen, is de kans groot dat ze het nog haalt.
Geen paniek, denkt ze. Niets aan de hand. Bij de bushalte ziet
ze dat ze nog vijf minuten moet wachten op de bus. Oké. Dat
is te doen.

Om vijf voor negen, als ze eindelijk een beetje op adem is
gekomen, komt de bus. Ze stapt in en haalt haar kaart langs
de scanner. 'Saldo te laag' verschijnt er op het scherm. Stiekem loopt ze door.

'Ho, ho, jongedame,' roept de buschauffeur.

Ze draait zich om.

'Er staat geen saldo op je chipkaart.'

'O! Maar...'

'Kun je cash betalen?'

'Euh...' Ze rommelt in haar tas en haalt haar portemonnee
tevoorschijn. 'Ik heb alleen een briefje van vijftig.'

'Daar heb ik niet van terug. Dan kun je helaas niet mee. De

Albert Heijn is nog open, daar kun je geld wisselen of je kaart opladen.'

'Maar… maar ik móét mee.'

'Er uit.'

'U snapt het niet. Ik heb een hele belangrijke date en mijn band is lek en ik heb zijn telefoonnummer niet en nu kom ik te laat en ik kan hem niet bereiken…' Achter haar in de bus hoort ze een paar meisjes gniffelen.

'Ik vraag het nog één keer vriendelijk. Als je niet uit jezelf vertrekt, parkeer ik de bus hier en bel ik de politie.'

'Aargh!' roept ze gefrustreerd. Ze stampt weer terug naar de voordeur van de bus. Waarom heeft ze nou net zo'n chagrijnige buschauffeur? 'Ik wens u… een ongelukkig liefdesleven!' weet ze nog net uit te brengen voor de deur met een sissend geluid dichtklapt. Ze haalt diep adem door haar neus. Het is langer dan een half uur lopen naar de gracht en de volgende bus komt pas over een kwartier. Ze komt nu sowieso te laat. Ze ziet al helemaal voor zich hoe Malik na twintig minuten wachten in de kou teleurgesteld op zijn horloge kijkt en met gebogen schouders weer naar huis sjokt.

'Shit!' vloekt ze hardop, terwijl ze op de grond stampt. Ze belt Iris en legt in een paar seconden uit wat er aan de hand is.

'O, Laura! Als ik in de buurt had gewoond, had ik naar hem toe gekund om hem te waarschuwen. En nu?'

'Daarom bel ik jou! Wat moet ik doen? Ik moet hem bereiken!'

'Wacht, ik zit achter Facebook. Ik kan kijken of… O.'

'Wat?'

'Er zijn echt heel veel Maliks. Ook bij ons in de stad.'

'Shit. Waarom heb ik zijn nummer nou niet?'

'Wacht!' Iris klinkt alsof ze een aha-momentje heeft. 'We kennen iemand met zijn nummer.'

'Wie?'

'Sophie.'

'O, ja.' Laura zucht. 'Maar hoe bereiken wij haar?'

'Euh... ik heb haar nummer.'

'Echt?' Ze is verbaasd, maar ze heeft geen tijd om boos of verontwaardigd te worden.

'Oké, ik bel Sophie. Ik sms je zijn nummer. Hopelijk binnen vijf minuten.' Iris hangt op.

Laura besluit om ondertussen maar vast naar de stad te lopen. Ze kijkt op haar horloge. Negen uur geweest. Tot overmaat van ramp begint het te regenen. Het is van die miezerregen die je bijna niet voelt, maar waarvan je wel heel nat wordt. Een paraplu was handig geweest, maar Buienradar zei dat het droog zou blijven. Op zich had ze ook naar buiten kunnen kijken in plaats van op Buienradar, bedenkt ze, terwijl ze haar kraag opzet. Maar ja, daar is het nu een beetje laat voor.

Tien minuten later belt Iris eindelijk.

'En?' zegt Laura. Ze is buiten adem van het snelle wandelen.

'Sophie neemt niet op. Waar ben jij nu?'

'Ik loop naar de stad.'

'Dat is toch best ver vanaf jou?'

'Ik dacht dat het wel meeviel. Maar het is verder dan ik dacht, ja. Als ik er straks eindelijk een keer ben is het half tien geweest.'

'O, en dan hebben jullie ook nog buiten afgesproken. Arme jongen...' zegt Iris.

'Ja, wrijf het er nog maar even in.'

'Het spijt me. Ik blijf Sophie proberen, oké? Ik stuur haar ook wel een berichtje. Succes!'

Laura hangt op en stapt stevig door. In stilte vervloekt ze Sophie. Stiekem weet ze wel dat Sophie hier niets aan kan doen, maar het is altijd fijn om iemand de schuld te geven. Helemaal als het Sophie is. Als ze bij een druk kruispunt op een stoplicht moet wachten, zet ze wijselijk een stap achteruit. Het zou wel een heel erg Bridget Jones-momentje zijn als er nu vlak voor haar neus een auto door een plas water zou rijden. Ze wordt liever langzaam doorweekt door de miezerregen. Al is het effect precies hetzelfde.

Om iets voor half tien is ze eindelijk in de binnenstad. In de weerspiegeling van de etalageruit van de Bijenkorf vangt ze een glimp op van zichzelf. Ze verwachtte een verzopen kat, maar dit slaat alles. Ze kijkt nog een keer om er zeker van te zijn dat ze echt naar zichzelf kijkt en niet naar een versleten etalagepop. O mijn god, denkt ze. Dit is geen verzopen kat, dit is een verzopen panda. Met pluishaar. Dat ook nog eens. Ze haalt snel een spiegeltje uit haar tas en probeert zo goed als ze kan de schade te herstellen. Zwarte mascaravegen onder haar ogen vandaan, haar haren platter. Er is eigenlijk geen redden meer aan. Ze slaakt een diepe zucht. Het maakt toch niet uit. Het is al half tien geweest en nog minstens vijf minuten lopen naar het postkantoor. Met gebogen schouders sjokt ze verder. Als ze straks bij de gracht is, kan ze bij de Albert Heijn to go geld wisselen voor de bus naar huis. Dan kan ze gelijk een zak chocoladekruidnoten kopen. Dat heeft ze wel verdiend na zo'n rotavond. Want natuurlijk is hij er niet. Wie gaat er nu vijfendertig minuten in de miezerregen zitten wachten op een date? Dat zou ze zelf nooit doen. Ze zou het waarschijnlijk na een minuut of twintig opgeven.

Wanneer ze de gracht oploopt, prikken de tranen in haar ogen. Ze kan echt niet geloven dat ze dit heeft verpest. Het komt allemaal door die stomme nagellak. En door haar fiets. En door Sophie. Ze haalt haar neus op en schopt in de richting van een duif die weigert aan de kant te gaan. Misschien is het niet *meant to be*. Misschien is dit een teken van het universum dat ze haar allereerste gevoel had moeten volgen. Ze valt niet op types als Malik en het kan nooit iets worden. Maar haar tweede gevoel… en haar derde, vierde en vijfde… zegt iets heel anders. Ze vindt hem leuk. Heel leuk. Leuker dan ze iemand de afgelopen jaren heeft gevonden. Ze schopt een leeg blikje Red Bull voor zich uit. De miezerregen is opgehouden en overgegaan in een echte plensbui. Het postkantoor is nu vlakbij en ze durft haar blik bijna niet los te trekken van het blikje en de glanzende stoeptegels. Langzaam kijkt ze op.

Op de trappen voor het oude, statige gebouw zitten een paar zwervers. Op de stoep voor het gebouw staat niemand. Hij is er niet. Ze zucht diep en veegt een natte haarlok van haar met druppels bedekte voorhoofd. Nou ja, nu weet ze het in ieder geval zeker. Het grote probleem is alleen: hoe gaat ze hem onder ogen komen bij Barista!? Ze loopt verder in de richting van het postkantoor. Waarschijnlijk komt hij nooit meer bij Barista!, denkt ze. Zat andere koffietentjes met leuke koffiemeisjes. Ze haalt haar neus weer op en veegt met de mouw van haar jas over haar natte wang. Of het tranen of regendruppels zijn, weet ze eerlijk gezegd niet eens. Waarschijnlijk allebei. En de mascara zou inmiddels wel op haar kin zitten. Maar het maakt toch niet meer uit.

'Laura?'

Links van haar klinkt een bekende stem. Ze draait zich om. Op een bankje aan de gracht zit Malik. Hij staat op.

'Hé!' zegt hij, terwijl hij op haar af loopt.

'Hé!' antwoordt ze, terwijl haar hart een driedubbele salto met achterwaartse schroef maakt. 'Je bent er nog.'

'Natuurlijk ben ik er nog!'

Hij staat nu recht voor haar. Ze heeft geen idee hoe ze hem moet begroeten. Drie zoenen? Eén zoen? Helemaal geen zoen? Malik lost het op. Hij geeft haar een knuffel. Zijn stevige armen om haar heen voelen als een warme, veilige deken.

'Ik was bezorgd om je. Ik was bang dat er iets met je was gebeurd,' zegt hij.

Ze begraaft haar neus in zijn natte, leren jas. De regen en kou lijken niet meer te bestaan. Hij was bezorgd? Hij heeft vijfendertig minuten gewacht in de kou en regen en hij is niet geïrriteerd maar bezorgd? Ze maakt zich los uit zijn omhelzing. 'Malik, het spijt me zo erg,' zegt ze. 'Het is echt niets voor mij om zo onwijs te laat te komen. Dat moet je begrijpen.'

'Dat dacht ik al wel. We hadden nummers moeten uitwisselen, dat was een stuk handiger geweest. Wat is er gebeurd?'

'Mijn band was lek. En toen wilde ik met de bus en toen had ik geen saldo op mijn ov-chipkaart en wilde de buschauffeur me niet meenemen. Eikel.'

Malik lacht. 'En toen ben je komen lopen?'

'Ja. Ik heb je nummer nog proberen te achterhalen via Sophie. Maar ze nam niet op.'

'Ik heb Sophie ook gebeld. Zelfde resultaat.'

De bitch, denkt Laura. Een beetje expres onze date dwarsbomen. 'Ik had echt niet gedacht dat je er nog zou zijn. Ik ben zo'n sukkel. En ik zie er niet uit. Ik ben helemaal verregend...'

'Valt toch wel mee? En volgens mij is de *wet look* weer helemaal hip dit jaar. Ik doe er zelf ook aan mee.'

Hij knipoogt naar haar. Zijn zwarte krullen plakken aan zijn gezicht. Ze knippert de regen uit haar wimpers en staart hem vol ongeloof aan. Hoe kan iemand nu nog naar haar knipogen? Ze is een verzopen panda! En hoe kan iemand nou langer dan een half uur wachten in de regen?

'Maar *wet look* of niet, ik zou droog ook wel heel fijn vinden op dit moment.'

'Ja... ja, ik ook,' zegt ze na een paar seconden. Ze is nog steeds sprakeloos en in shock.

Een kwartier later zitten ze in een bruin café in een van de zijstraatjes van de gracht. Het is zo'n tent waar je op het eerste gezicht nooit naar binnen zou lopen, omdat het eruit ziet als een donker hol waar alleen een paar alcoholisten aan de bar zitten en verder nooit iemand komt. Maar als je doorloopt naar achter is er een knus hoekje met een open haard. De barman is heel vriendelijk. En de alcoholisten aan de bar eigenlijk ook. Het is een van Laura's favoriete plekjes in de stad. Ze hebben allebei een Irish Coffee met slagroom besteld en ze moet eerlijk toegeven dat ze een heel klein beetje verrast is dat hij alcohol drinkt. Dat iemand Arabisch spreekt, wil natuurlijk niet zeggen dat hij praktiserend moslim is, maar het had haar niet verbaasd als hij geen alcohol had gedronken. Nou ja, het doet er ook niet toe. Ze ziet de vlammen van de open haard weerspiegeld in zijn grote bruine ogen en luistert hoe hij vertelt over zijn werk. Hij werkt als dtp'er bij een ontwerpbureau. Ze weet eerlijk gezegd niet wat dtp'er is, maar durft het niet te vragen. Uit zijn verhaal maakt ze op dat het iets met computers en opmaak en design is.

'En jij?' vraagt hij. 'Fulltime barista?'

'Op het moment wel,' zegt ze. Ze warmt haar handen aan haar glas koffie en neemt een slok. De bittere koffie en zoete slagroom vermengen zich in haar mond met de zachte whiskysmaak. Pas als ze doorslikt, voelt ze hoe de alcohol haar een warm en fuzzy gevoel geeft. 'Ik werk eigenlijk bij Barista! omdat ik geen baan kan vinden,' legt ze uit. Ze vertelt hem wat ze gestudeerd heeft en hoe moeilijk het is om aan een baan te komen in haar branche.

'Interculturele communicatie...' zegt hij. Zijn ogen sprankelen. 'Dus jij kunt heel goed met andere culturen communiceren.'

'Daar heb ik voor gestudeerd, ja. Maar dat is alweer een paar jaar geleden.'

'Dan lijkt een beetje bijscholing mij op zijn plaats.'

Ze staart verlegen in haar glas. 'Nu we het er toch over hebben,' zegt ze. 'Waar kom je eigenlijk vandaan?'

'Almere.'

Ze kijkt hem verbaasd aan. 'O, oké. Maar ik bedoelde…'

'Ik begrijp wat je bedoelt. Ik plaag je alleen maar. Mijn ouders komen uit Tunesië,' zegt hij.

'O. Net als Sophie.'

'Net als Sophie inderdaad. Mijn zus kent haar.'

'O!'

'Had Sophie dat niet verteld?'

'Nee…euh… we zijn vaak zo druk met werken dat het niet echt van kletsen komt.' Ze kan hem maar beter niet vertellen dat ze Sophies bloed wel kan drinken.

Ze bestellen rode wijn en praten verder. Over zijn werk, haar werk, haar studie, wonen in Utrecht, koffie, restaurants, de zin en onzin van Facebook… Het lijkt wel of ze aan het bijkletsen is met iemand die ze jaren niet gezien heeft. De tijd staat stil en ze vergeet alles om zich heen. Ze denkt niet meer aan haar natte sokken, haar uitgelopen mascara en het feit dat ze morgen vroeg op moet. Ze vergeet zelfs om nerveus te zijn. Ze lachen en praten en drinken en ze verdrinkt in zijn ogen. Als om vijf voor twaalf de barman komt zeggen dat ze over vijf minuten sluiten, zijn ze allebei verbaasd dat het al zo laat is. Ze zou willen dat ze voor altijd hier met hem aan dit kleine tafeltje bij de open haard kon zitten.

Buiten is het opgehouden met regenen. In stilte lopen ze naar de gracht. Ze blijven staan voor het postkantoor, de plek waar ze eigenlijk hadden afgesproken. Onder het kille licht van de lantaarnpaal lijkt de intieme sfeer van het café ineens mijlenver weg. Ze knippert met haar ogen en kijkt hem aan. De hele avond is als een roes voorbijgegaan en het is alsof ze wakker wordt uit een droom.

'Ik vond het leuk vanavond,' zegt ze. Ze staan tegenover elkaar.

'Ik ook,' antwoordt hij. Hij pakt haar handen. Een warm, tintelend gevoel verspreidt zich via haar armen naar de rest van haar lichaam. 'Ik denk dat ik morgen wel een dubbele espresso kan gebruiken,' zegt hij.

'Ik zal zorgen dat-ie klaarstaat.'

Hij strijkt voorzichtig een haarlok uit haar gezicht en buigt naar haar toe. Ze sluit haar ogen. Wanneer zijn lippen de hare raken, voelt het alsof duizend slapende vlinders in haar buik hun vleugels uitslaan.

10

Door een gordijn van regen rent Laura van de bushalte naar
Barista!. Ze heeft voor de zekerheid een bus eerder genomen,
dus het is pas net zeven uur geweest. Luigi is er waarschijnlijk nog niet eens, maar ze heeft de sleutel en weet de code
van het alarm. Binnen schudt ze haar haren uit. Ze doet alle
lampen aan, zet de verwarming aan en start de apparaten op.
Als het goed is komt Iris ook zo, zodat ze nog even bij kunnen
kletsen voor het werk. Laura kan niet wachten om haar alles
te vertellen. Ze heeft amper geslapen en is van dat stukje hol-
len door de regen zeiknat geworden. Normaal gesproken zou
dit ervoor zorgen dat ze stikchagrijnig aan haar werkdag zou
beginnen, maar vandaag kan ze niet ophouden met glimlachen. Als twee verliefde tieners hebben ze gisteren staan zoenen op straat. Laura's regel voor de eerste date is eigenlijk dat
ze niet zoent. Het is zoiets intiems. En om dat nou te doen
met iemand die je net een paar uur kent… Maar dat was het
nou juist. Het voelde alsof ze Malik al jaren kende. Het voelde
alsof ze iemand was tegengekomen die ze lang geleden uit het
oog was verloren. De hele avond was zo ontzettend magisch
geweest.

Door de beslagen ruiten heen ziet ze Iris naar de voordeur lopen. Ze heeft een grote mand muffins bij zich, dus Laura loopt op haar af om te helpen. Ze draait het slot eraf en doet de deur open. De koude wind blaast de regendruppels in Laura's gezicht en Iris haast zich met haar mand, tas en paraplu naar binnen.

'Vertel!' zegt ze, zodra Laura de deur weer op slot doet.

'Moet jij niet eerst even je paraplu inklappen, die muffins neerzetten en je jas uit doen?' antwoordt Laura. Iris had haar gisteren bestookt met berichtjes. Ze had haar telefoon op stil gezet toen ze met Malik het café binnenliep. Toen hij om tien uur even naar het toilet ging, keek ze op haar telefoon en zag ze dat Iris er in haar laatste berichten vanuit ging dat Laura zichzelf van pure ellende in de gracht had gestort. 'Als je binnen tien minuten niets van je laat horen, stuur ik een duikteam van de brandweer naar de gracht!' was haar laatste berichtje. Laura had snel teruggestuurd dat Malik er nog was en dat ze morgen alles zou vertellen. Vannacht had ze nog snel ge-sms't dat het fantastisch was en dat ze vroeg naar Barista! moest komen als ze alles wilde horen.

Iris zet de mand op de dichtstbijzijnde tafel en rent met haar paraplu in haar hand naar het magazijn om haar jas op te hangen. Ze laat een nat modder- en regenspoor achter op de Perzische tapijten.

Vijf minuten later zitten ze met een espresso-chocolade-kruidnotenmuffin en een cappuccino aan de leestafel.

'En… hebben jullie gezoend?' vraagt Iris. Ze spert haar ogen wijd open.

Laura glimlacht.

'Ja, dus! O, wat leuk! Wacht even… is hij blijven slapen? O mijn god, hij is blijven slapen. Laura, jij…'

'Nee!' gilt ze snel. 'Waar zie je me voor aan?'

'Oké. Maar vertel! Ik wil alles weten!'

'Ik begin bij het begin.' Ze vertelt Iris hoe ze aankwam bij het postkantoor en hoe ze eerst dacht dat hij er niet was. Dat hij bezorgd was in plaats van boos. Hoe ze Irish Coffee en wijn dronken bij de open haard en hoe het ineens bijna twaalf uur was. Hoe ze zoenden onder de lantaarnpaal en hoe hij haar naar de bushalte bracht. Dat was nog even een dingetje, want Malik was er nog steeds van overtuigd dat ze in de wijk woonde waar hij haar was tegengekomen toen ze hem achtervolgde. Hij wilde haar eigenlijk naar huis brengen omdat het al zo laat was. Nadat ze hem ervan had overtuigd dat ze echt beter met de bus kon, stond hij erop haar naar de bushalte te brengen. Ze kon volgens hem het beste een bus nemen die over tien minuten zou komen. Gelukkig ging de eerste bus die kwam naar het station en kon ze hem ervan overtuigen dat het gemakkelijker was om via het station te reizen. Daar was ze goed vanaf gekomen.

Aan het eind van haar verhaal slaakt Iris een diepe zucht. 'O, Lau, wat romantisch!'

Ze staart glimlachend naar haar cappuccino. 'Ja… en ongelooflijk ook. Wie wacht er nou langer dan een half uur op een date?'

'Ja, ik had het ook echt niet gedaan.'

'En dat hij daarna niet van schrik is weggehold is ook een

wonder. Ik bedoel, ik zag eruit als een *before*-foto. Mijn make-up was uitgelopen, mijn haren plakten aan mijn hoofd.'

'Malik klinkt echt als de perfecte man.'

'Het was de perfecte date.'

'Heb je hem trouwens nog naar het kind gevraagd? Is het jongetje van hem?'

De deur gaat open en Luigi komt binnen. 'Goedemorgen dames. Wat zijn jullie vroeg!'

'Ja, gezellig toch?' roept Laura, terwijl ze opstaat. 'Daar hebben we het niet over gehad. Ik heb er eerlijk gezegd helemaal niet aan gedacht,' fluistert ze naar Iris.

'Mmm...' zegt Iris. 'Vreemd.'

Voordat Laura kan vragen wat Iris hier vreemd aan vindt, komt Luigi naar ze toegelopen. 'Ik wil vandaag als het rustig is even wat dingen doorspreken over dat hele...euh... online gebeuren. Sophie komt ook, dus dan kunnen we met zijn allen kijken welke kennis we al in huis hebben.'

'Komt Sophie vanmiddag?' Het lukt Laura niet de teleurstelling uit haar stem te houden. 'Ik dacht dat ze vrij was vandaag.'

'Ze komt niet werken, maar ze wilde er graag bij zijn als we gingen bespreken wat we online kunnen doen.' Luigi draait zich om en loopt naar het magazijn. 'Bovendien heeft ze haar telefoon hier gisteren laten liggen, dus ze zou toch al langskomen,' roept hij nog.

Laura kijkt Iris aan.

'O,' mompelt ze. 'Dus ze was toch niet moedwillig onze date aan het saboteren.'

Een uur later tilt Laura het grote krijtbord naar buiten. AANBIE-DING: ESPRESSO-CHOCOLADE-KRUIDNOTENMUFFIN + KOFFIE VOOR VIER EURO, heeft ze er net opgeschreven. 'Muffin' en 'aanbieding' zijn blijkbaar de magische codewoorden, want binnen no time is het hartstikke druk in de bar. Het kan er ook iets mee te maken hebben dat het nog steeds regent en dat de rij aan de overkant voor de *pumpkin spice lattes* en *skinny blueberry muffins* tot buiten staat. Ze vermoedt dat de nieuwigheid van Starbucks er een beetje af is. Iedere keer als ze een klant hoort zeggen dat hij echt niet in de rij aan de overkant gaat staan, voelt het als een kleine overwinning. Ze misgunt de overburen niets, maar het is gewoon niet eerlijk dat mensen op de naam afkomen en niet op de goede koffie.

De drukte is goede afleiding, want de vlinders maken salto's in haar buik. Als het goed is, komt Malik zo. Gisteravond lijkt wel een droom. Er trekt een tinteling door haar hele lichaam als ze denkt aan zijn kus, zijn geur, haar handen door zijn haren... Maar wat als hij straks enorm tegenvalt? Het kan natuurlijk dat de magie gisteren mede veroorzaakt werd door de rode wijn en dat ze zich kapot schaamt als ze hem zo ziet. Of nog erger... wat als híj dat heeft? Ineens is ze zich heel bewust van haar uiterlijk. Terwijl ze de filterdrager onder de bonenmaler zet voor weer een ronde espresso's, stoot ze Iris aan, die naast haar twee kartonnen bekers met heet water vult.

'Iris,' fluistert ze. 'Zit er iets tussen mijn tanden?' Ze laat al haar tanden zien in een groteske glimlach.

'Nee,' fluistert Iris. 'Maar je moet echt nooit meer zo'n hoofd trekken. Je lijkt wel een chimpansee.'

Laura moet zo hard lachen dat ze per ongeluk op het verkeerde knopje drukt en de kopjes espresso overstromen. Als ze zich omdraait ziet ze in een flits een jongen met blonde krullen de deur uitlopen. Hij stond blijkbaar in Iris' rij. Het is dezelfde jongen die ze laatst zag door het raam. Ze weet het zeker. En hij lijkt verdacht veel op iemand van heel lang geleden.

Twee klanten later bonst haar hart in haar keel, heeft ze een droge mond en lijken de kopjes en kartonnen bekers ineens met groene zeep te zijn besmeurd. Alles glipt uit haar handen.

'Sorry voor mijn collega, hoor,' zegt Iris, wanneer Laura de vrouw in mantelpak die laatst over het tapijt struikelde per ongeluk vijf euro te weinig teruggeeft. 'Ze heeft gisteravond een spannende date gehad en zit nog een beetje met haar hoofd in de wolken.'

'Iris!' roept ze. Dit kan mantelpakvrouw vast niet waarderen. Die is altijd zo gestrest en gehaast. Tot haar grote verbazing klapt de vrouw enthousiast in haar gemanicuurde handen. 'Wat leuk!' zegt ze. 'Gaan jullie elkaar nog een keer zien?'

'Euh…nou…' Ze voelt dat het bloed naar haar wangen stroomt. Ze kijkt nerveus naar de grond.

'Ja zeker!' zegt Iris. 'Sterker nog, dat kan ieder moment gebeuren.'

Laura kijkt op en ziet de voordeur opengaan. Malik komt binnen. Hij lacht en kijkt naar haar met zijn twinkelogen. Al haar twijfels en onzekerheden verdwijnen. De vlinders in haar buik doen een dansje en haar hart holt een persoonlijk record. Malik sluit netjes aan in de rij. Er staan nog drie mensen voor hem. Mantelpakvrouw kijkt om.

'O, wat een leukerd!' fluistert ze.

'Ja,' zegt Laura. Ze glimlacht. 'Dat is hij ook.'

Wanneer Malik aan de beurt is, lacht hij naar haar en lacht zij naar hem en wordt ze helemaal duizelig. Het liefst zou ze hem over de toonbank trekken en zoenen, maar dat kan natuurlijk niet. Naast haar doet Iris heel hard haar best om te doen alsof ze niet stiekem luistert naar hun gesprek.

'Goedemorgen,' zegt Malik.

'Hoi,' zegt Laura. Ze heeft het bloedheet. 'Lekker geslapen?'

'Had wat langer gemogen.'

'Bij mij ook. Een dubbele espresso dan maar?' Ze maakt een espresso voor hem en rekent af. Achter hem staan nog meer klanten, dus hij kan helaas niet langer blijven hangen.

'Zie ik je dit weekend?'

'Lijkt me leuk,' antwoordt ze. Ze hadden al min of meer afgesproken om elkaar dit weekend weer te zien. Hij is het gelukkig niet vergeten.

'Aangezien we elkaars nummer tegenwoordig hebben, komt dat helemaal goed.'

'Ik zal je dit keer niet langer dan een half uur in de regen laten wachten.'

Hij knipoogt naar haar en ze kan niet ophouden met glimlachen. Helaas moet hij echt gaan.

Zodra hij weg is, stoot Iris haar aan. 'Jullie zijn zo schattig samen!' zegt ze.

Om half vijf zitten er alleen nog maar een paar studenten-meisjes met knotten op hun hoofd. Het regent hard, de muf-fins zijn op en eigenlijk zitten er op dit tijdstip nooit veel mensen. Een puntje om aan te werken, denkt Laura, terwijl ze plaatsneemt aan de leestafel naast Iris.

'Ik kom zo, dames,' zegt Luigi. 'Ik haal nog even iets uit het kantoor. En we moeten toch nog wachten op Sophie.' Laura rolt met haar ogen en net op dat moment zwaait de deur open en komt Sophie binnen. Ze neemt de kou met zich mee.

'Hoi!' zegt ze vrolijk, terwijl ze haar sjaal afdoet. Ze gaat zitten tegenover Iris en Laura. 'Ik had mijn telefoon hier gis-teren laten liggen, zo dom,' praat ze verder.

'O, ja, die ligt achter. Ik pak 'm wel even voor je,' zegt Iris.

Geweldig, denkt Laura. Nu zit ze alleen met Sophie.

'Heb je een leuke avond gehad gisteren?' vraagt ze.

'Wat weet jij daarvan?'

'Ik werk hier ook, weet je nog? Ik vang wel eens iets op.' Sophie lijkt beledigd.

'O. Ja het was leuk.' Ze kan het niet helpen. Haar mond-hoeken gaan vanzelf omhoog als ze weer denkt aan Malik en gisteravond.

'Ik ken Maliks zus, wist je dat?'

'Hij vertelde zoiets, ja.'

'Ik ken hem niet echt, maar hij lijkt me heel aardig. Hij heeft strenge ouders, maar hij heeft veel respect voor ze.'

'O?' Wat is dat voor rare opmerking, denkt ze.

'Ja, nou ja, ik vind het altijd belangrijk als een jongen een goede band heeft met zijn familie, ook als ze anders denken over bepaalde zaken. Dat zegt wel iets over zijn karakter, toch?'

'Dat zal wel, ja.' Ze is blij dat Iris en Luigi aanschuiven. Ze heeft geen zin in een gesprek met Sophie over jongens en hun familie. Op de een of andere manier zit het haar ook helemaal niet lekker dat ze het over zijn ouders had. Het lijkt nu of ze hem beter kent dan zij. Malik heeft het gisteravond helemaal niet over zijn ouders gehad...

'Laura en Iris,' zegt Luigi. 'Ik begreep dat jullie de concurrentie onder de loep hebben genomen. En Sophie, jij had iets bedacht?'

De drie barista's knikken.

'Dan geef ik eerst het woord aan Laura en Iris. Kom maar op. Wat is er mis met Barista!?'

11

'In dit derde staafdiagram,' zegt Iris, 'heb ik de locatie en de kosten afgezet tegen het aantal bezoekers op een gemiddelde zaterdagmiddag.'

Laura kan een gaap niet onderdrukken en ze ziet dat Luigi en Sophie ook moeite hebben hun hoofd erbij te houden. Iris heeft van hun spionage-taart-test-actie van afgelopen weekend zo'n ingewikkeld verhaal gemaakt, dat niemand er meer iets van snapt.

'Zoals jullie kunnen zien,' gaat ze verder, 'heeft het aanbod van etenswaren wel degelijk invloed op de keuze van de koffiebar. Verder lijken bekendheid en imago belangrijke factoren en daar kan Laura jullie meer over vertellen.'

Laura schrikt op. 'O, ja. Juist. Euh… Ik heb niets op papier gezet, maar het komt hierop neer: we moeten Facebook.'

Iris trekt haar wenkbrauwen op. 'Kun je dat iets verder uitleggen?'

'Euh… nou… die andere tentjes zitten bomvol. Op zich heeft dat niets te maken met de locatie, de kwaliteit van de koffie of de prijs van de koffie. Dat is eigenlijk een korte samenvatting van wat Iris net vertelde.'

Luigi knikt ineens begripvol en Iris rolt met haar ogen.

'Maar waarom zit het er dan zo vol?' gaat ze verder. 'Mensen komen daar omdat ze andere mensen erover horen praten. En dat gebeurt voornamelijk op social media. Koffie & Jij heeft bijvoorbeeld een drukbezochte Facebookpagina. Ze plaatsen voortdurend foto's van de taarten die ze die dag hebben en leuke weetjes over koffie. Verder hebben ze vaak acties op Facebook en Twitter.'

'Wat voor acties?' vraagt Luigi.

'Nou,' legt Laura uit, 'ze hebben bijvoorbeeld koffie met cheesecake voor vier euro als Facebookactie. Dan moet je aan de toonbank zeggen dat je de Facebookactie wilt en dan krijg je dat.'

'En dat staat verder nergens op een krijtbord?' Luigi is verbaasd.

'Nee, dat is juist het hele idee. Dat het exclusief voor de Facebookvolgers is. Mensen vinden dat leuk. Ze nodigen elkaar op Facebook uit om mee te gaan.'

Luigi zucht. 'Mijn broer komt volgende week langs. Hij kan helpen met het opzetten van een website. Het technische gedeelte, in ieder geval. Hij weet vast ook wel hoe je zo'n Facebookpagina aanmaakt.'

'Dat weten wij ook,' zeggen Laura, Iris en Sophie in koor.

'O. Juist, ja.' Luigi haalt een hand over zijn bezwete voorhoofd. 'Ik lijk wel een oude man, af en toe. En nu niet zeggen dat ik dat ook ben.'

'Natuurlijk niet!' zegt Iris. 'En dat ben je ook helemaal niet. Niet iedereen is actief op social media, maar als bedrijf kun je er tegenwoordig niet meer omheen. Wij kunnen je helpen.'

'Fijn. Ik weet niet of het nog zin heeft, maar ik waardeer het echt.'

'Je moet de moed niet opgeven, Luigi,' zegt Laura. 'Je gaat niet ten onder, maar als het gebeurt, wil je toch dat je er in ieder geval alles aan gedaan hebt?'

'Oké, Facebook,' zegt Luigi. 'En Iris, met jou wil ik het later nog hebben over uitbreiding van het assortiment. Die muffins lopen goed, maar je kunt ze natuurlijk niet uit je eigen zak blijven betalen en in je eigen keuken blijven bakken. We vinden daar wel iets op. Sophie, jij had een idee?'

Sophie knikt. 'Wat je in Amerika veel ziet, is dat koffietentjes middagen of avonden organiseren voor singer-songwriters. We zouden dat bijvoorbeeld op een donderdagavond of zondagmiddag kunnen doen. We kunnen er een wedstrijd van maken en het de Barista! Singer-Songwritercup noemen, of zo.'

Luigi knikt. 'En hoe zie jij dat voor je? Waar halen we die… singer… songsingers…'

'Singer-songwriters,' zeggen Laura en Sophie tegelijk.

'Juist,' gaat Luigi verder, 'waar halen we die vandaan?'

'We kunnen dat via social media bekend maken. We kunnen flyeren bij poppodia en het conservatorium. En ik ken zelf ook veel mensen uit de muziekwereld,' legt Sophie uit.

'Mmm…' Luigi kijkt enthousiast. 'Het lijkt mij een goed plan. Als jullie willen helpen met de organisatie?'

De drie barista's knikken.

'Laten we het dan de Barista! Singer-Songwriterbokaal noemen,' zegt hij plechtig.

'Bokaal?' vraagt Laura.

'Als we vroeger met de fanfare in Vught meededen aan een wedstrijd, heette het altijd bokaal. Dus ik wil een bokaal.'

'Fanfare?' roepen ze alle drie.

Laura stikt bijna in haar cappuccino. Ze ziet ineens voor zich hoe Luigi in een veel te strak jasje, een broek met een vouw in het midden en zo'n omgekeerde prullenbak op zijn hoofd door de straten van Vught marcheert.

'Fanfare, ja,' zegt Luigi. 'Je kunt er om lachen, maar we zijn drie keer Brabants kampioen geweest. Dat was de mooiste tijd uit mijn leven en ik mis het nog iedere dag.'

'Wat speelde je?' vraagt Iris.

'Trompet,' zegt Luigi trots.

Wat schattig, denkt Laura. Hij heeft duidelijk evenveel passie voor de fanfare als voor koffie. Gek, eigenlijk. Ze werkt hier al zo lang en dat soort dingen weet ze helemaal niet van hem.

Ze spreken af dat iedereen met zijn eigen ding aan de slag gaat. Laura met de Facebookpagina en bijbehorende acties. Iris met muffins en andere koekjes. Sophie met de Singer-Songwriterbokaal.

De rest van de week gaat in een roes voorbij. Laura werkt fulltime en is daarnaast druk bezig met de Facebookpagina. De lieve berichtjes die ze van Malik krijgt, helpen haar de week door. Op vrijdag is hij nog even in de zaak, maar er is geen tijd om echt te kletsen. Wel geeft zijn bezoekje haar de bevestiging die ze nodig heeft. Ze krijgt het warm als ze hem ziet en ze kan niet wachten tot het zaterdagavond is en ze op hun tweede date gaan. Iris houdt er ondertussen niet over op hoe leuk hij is en hoe goed ze bij elkaar passen.

Als ze zich zaterdagavond – ruim op tijd dit keer – klaarmaakt voor hun date, is ze een stuk kalmer en minder zenuwachtig dan de eerste keer, al was het maar omdat ze zijn telefoonnummer heeft en hem een berichtje kan sturen als haar band lek is of ze moedwillig wordt tegengewerkt door een *evil* buschauffeur. Ze kan zich eigenlijk niet meer voorstellen dat ze eerst vond dat ze niet bij elkaar pasten. Hoe stom was het om te wachten op de perfecte jongen met blonde krullen terwijl ze zo'n leuk setje zou kunnen vormen met Malik? Ze staat voor de badkamerspiegel en doet mascara op. Haar vriendinnen zouden hem echt geweldig vinden, denkt ze. Iris vindt hem fantastisch en ze weet zeker dat haar andere vriendinnen dat ook zouden vinden. Haar ouders zouden hem interessant vinden, dat weet ze zeker. Ze doet donkerroze lipgloss op. Misschien kunnen ze een duizend-en-één-nacht themabruiloft doen, denkt ze, met buikdanseressen en gekleurde lampionnen en…

'Hou op, Laura!' zegt ze hardop tegen zichzelf. Ze kneedt mousse in haar haren en spuit zo veel haarlak dat ze er een hoestbui van krijgt. Het slaat nergens op om te fantaseren over een bruiloft. Misschien gelooft hij wel helemaal niet in bruiloften. Of misschien wil zijn familie niet dat hij met een westers meisje trouwt en komt er sowieso geen bruiloft. Wat zei Sophie ook alweer? Dat hij streng islamitische ouders had? Of zei ze gewoon streng? Wat nou als ze nooit aan zijn ouders kan worden voorgesteld omdat ze niet goed genoeg is voor ze? *Ophouden*, vermaant ze zichzelf weer. Ze moet niet zo op de zaken vooruit lopen. Dit is hun tweede date.

Om tien voor acht staat ze te wachten bij het postkantoor, waar ze voor het gemak maar weer hebben afgesproken. Nog geen minuut later komt Malik de hoek omgelopen. Hij draagt sneakers en een donkere spijkerbroek en hij heeft de kraag van zijn leren jas opgezet. Het valt haar nu pas op hoe de chocoladebruine kleur van zijn jas perfect past bij zijn karamelkleurige huid en donkere krullen. Twee meisjes die voorbij lopen kijken zijn kant op en giechelen. Haar hart maakt een triomfantelijk sprongetje. Ze heeft gewoon een date met deze knappe man! Hij ziet haar nu ook en glimlacht.

'Ik had al zo'n vermoeden dat je te vroeg zou zijn,' roept hij, zodra hij binnen gehoorafstand is.

Ze twijfelt even hoe ze hem moet begroeten. Wat doe je bij een tweede date? Drie zoenen? Of is dat raar… aangezien ze al gezoend hebben? Net als bij hun eerste date, lost Malik de kwestie weer op. Hij slaat zijn armen om haar heen en geeft haar een korte kus op haar mond. Ze staart in zijn bruine ogen.

'Hoi,' zegt ze.

'Hoi,' antwoordt hij.

Ze geeft hem nog een kus op zijn mond. Hij zoent haar weer, langer dit keer. Hij opent zijn lippen en zijn tong zoekt de hare. De vlinders in haar onderbuik tuimelen over elkaar en ze verdrinkt in zijn zoen. Ze heeft niet door hoe lang ze daar staan, maar als er een paar voorbijlopende jongens la-chen en fluiten, maakt ze zich los uit zijn omhelzing.

'Euh… zullen we nog ergens naar binnen?' Malik glimlacht ondeugend naar haar.

'Goed idee.'

Het is zaterdagavond en overal superdruk, maar in de Ierse pub zijn helemaal achterin nog tafels vrij, zien ze door de rui-ten als ze er langs lopen. Het is een groot café. Ondanks de sobere inrichting en het feit dat er televisieschermen boven de bar hangen waarop een of andere sportwedstrijd wordt vertoond, is het er toch gezellig. De donkergroene gordijnen en donkere houten meubels geven het iets huiselijks. Bij de bar staan veel mensen, maar Malik heeft geen enkele moeite om zich door de mensenmassa heen te werken. Ze gaan zit-ten aan een tafel bij het raam. Ze drinkt rode wijn en Malik drinkt bier. Ze praten over de geplande Facebookpagina van Barista!.

'Ik wil dat het er een beetje goed uit ziet, maar ik krijg het niet voor elkaar,' zegt ze. 'Ik heb één bestandje met ons logo, maar dat krijg ik er niet mooi in.'

'Gelukkig ken je iemand met verstand van vormgeven,' zegt hij.

Ze kijkt hem verbaasd aan. 'O! Zou je willen helpen?'

'Natuurlijk! Mail het logo en de foto's van de zaak maar even door, dan kijk ik hoe ik dat mooi op de pagina kan krij-gen. Dat is zo gedaan.'

'Wow, dank je. Wacht, ik doe het gelijk.' Ze pakt haar telefoon. 'Gemaild! Ik wil zo graag dat Barista! weer wat meer klanten trekt. Ik denk dat social media echt kan helpen.' Ze stopt haar telefoon weer in haar tas.

'Ik vind het mooi dat je er zo veel tijd in wilt steken. Voor een tijdelijk baantje gaat het je toch behoorlijk aan het hart.'

Laura fronst en denkt hier even over na. 'Ja, ik blijf het zien als iets tijdelijks. Maar dat wil niet zeggen dat Luigi en Barista! me niets kunnen schelen. Ik heb de afgelopen jaren gezien hoe er steeds meer koffietentjes in Utrecht kwamen en hoe het Luigi niet lukt om bij te blijven. Dat doet gewoon pijn.'

'Ik wil jullie graag helpen. En dat is ook eigenbelang. Barista! heeft de beste espresso van de stad.'

'Dat is precies wat Luigi ook altijd zegt.' Laura lacht. 'Ik zal de complimenten doorgeven.'

'Vertel hem ook maar dat de leukste barista van de stad er werkt.'

Ze lacht en kijkt verlegen naar de grond. Het is lang geleden dat ze zich zo heeft gevoeld, denkt ze. 'Je komt nog niet heel lang bij Barista!, toch?' zegt ze.

'Nee, dat klopt. Maar het ligt precies op mijn route tegenwoordig. Na mijn werk haal ik Semih vaak op van het kinderdagverblijf en dan loop ik langs Barista!'

Laura voelt haar hart kloppen in haar keel. 'Semih?' vraagt ze.

'Ja, je hebt hem vorige week gezien! Toen had ik hem bij me in de kinderwagen.'

Laura staart hem aan.

'Die kleine charmeur met die grote bruine ogen. Je moet

hem gezien hebben. Hij is anderhalf. Een echte wijsneus. En de player van het kinderdagverblijf.'

Hij lacht en zijn ogen stralen. Ze vindt het aandoenlijk om hem zo te zien praten over een jongetje van anderhalf. Maar ze moet het vragen. 'Euh… en Semih is…'

Hij staart haar even verbaasd aan. 'O… je denkt dat… nee! Semih is mijn neefje. Het zoontje van mijn zus.'

'O!' Een golf van opluchting trekt over haar heen.

'Ik help haar de laatste tijd veel met Semih. Ze is weg bij haar man en heeft het moeilijk.' Hij slikt. Ze legt haar hand op de zijne. 'Ze ligt niet zo lekker in de familie. Mijn ouders…'

Haar gedachten schieten door haar hoofd. Ze moet denken aan wat Sophie zei. Zijn strenge ouders… zijn cultuur… Ineens realiseert ze zich wat er aan de hand is. Dit moet zo zwaar voor hem zijn. En voor zijn zus helemaal. Ze heeft hier tijdens haar studie vaak over gehoord, maar ze had nooit gedacht dat ze ooit echt iemand zou ontmoeten die hier meer te maken heeft. 'Is ze… ondergedoken?' vraagt ze.

'Ondergedoken?' vraagt hij verbaasd.

'In verband met eerwraak, bedoel ik.' Ze knikt begripvol. Hij heeft het hier duidelijk erg moeilijk mee.

'Eerwraak?' Hij laat haar hand los. 'Weet je wel waar je het over hebt?'

'Ik weet wat het is, ja. En het lijkt me echt heel moeilijk als je ouders…'

'Jij weet helemaal niets over mijn ouders.'

Ze schrikt. Hij lijkt echt geschrokken en oprecht beledigd.

'Wat je hoort op het nieuws en leest in de kranten…'

'Ik weet er wel iets meer van,' zegt ze. 'Ik heb een minor Islamstudies. Ik heb een keer een college over eerwraak gehad en...'

'Een college? En dan denk je dat je alles over alle moslims weet? Ben ik een interessant studie-object voor je? Is dat het?'

Zijn beschuldiging voelt als een messteek tussen haar ribben. 'Nee, natuurlijk niet...'

Hij staat op en trekt zijn jas aan. 'Sorry, Laura, maar ik heb hier geen zin meer in.'

Voor ze op kan staan of iets kan zeggen, heeft hij zich omgedraaid en verdwijnt hij in de drukte bij de bar. 'Malik!' roept ze nog. Maar hij is weg.

12

Laura staat op. Ze moet hem achterna. Ze grijpt haar jas en haar tas... en ineens staat er een barman naast haar. Shit, denkt ze. Ze kan natuurlijk niet wegrennen zonder te betalen. De barman kijkt naar de twee halfvolle glazen.

'Ga je die nog opdrinken?' vraagt hij.

'Euh... nee... nee... ik wil afrekenen. Is dit genoeg?' Ze haalt tien euro uit haar portemonnee. Ze moet hier zo snel mogelijk weg, zodat ze Malik nog kan vinden.

'Er is al afgerekend,' zegt de barman.

'Huh?'

'De jongeman met wie je was. Hij heeft net afgerekend aan de bar.'

'O,' mompelt ze. Ze trekt razendsnel haar jas aan en baant zich een weg door de menigte. Als Malik nog heeft afgerekend, is de kans groot dat hij niet ver is. Ze moet langs de bar om bij de uitgang te komen. Overal staan groepjes drinkende mensen en ze komt er amper doorheen. Ze botst tegen mensen aan en struikelt steeds bijna over jassen, tassen en barkrukken. Ze blijft ondertussen om zich heen kijken, maar in het café is hij natuurlijk niet meer. Wanneer ze buitenkomt, voelt de koude lucht als een klap in haar gezicht. Ze kijkt naar links en naar rechts. Maar hij is er niet. Ze staat even stil en bedenkt zich ineens iets. Ze holt de straat uit en gaat linksaf en na een paar meter naar rechts. Het postkantoor doemt op en lijkt in het donker wel een spookhuis. Onder de lantaarnpaal komt ze hijgend tot stilstand. Haar adem prikt in haar keel en de tranen branden in haar ogen. Hij is er niet.

'Verdomme!' roept ze. Ze schopt hard tegen de lantaarnpaal.

Iris opent haar mond om iets te zeggen en sluit hem dan weer. Ze zit op Laura's bank en staart voor zich uit. Laura staat. Ze is te onrustig om te zitten. Net zoals ze vannacht te onrustig was om te slapen. Ze heeft Malik gebeld, ge-sms't en ge-whatsapp't, maar hij heeft niet gereageerd. Ze is Iris net aan het vertellen wat er is gebeurd.

'Eerwraak?' vraagt Iris uiteindelijk. 'Heb je dat echt gezegd?'

'Het flapte eruit!'

'Je weet dat dat de meest extreme vorm van geweld ooit is? Ik bedoel, eerwraak is moord, toch?'

'Dat weet ik.' Ze hinkt naar de andere kant van de kamer, blijft daar even staan en schuifelt weer terug. Als ze recht voor Iris staat, praat ze verder. 'Maar hij vertelde dat zijn zus een alleenstaande moeder is en dat ze niet lekker in de familie ligt. Echt, Iris, je had hem moeten zien. Het deed hem duidelijk heel veel. En Sophie had verteld dat hij bizar strenge ouders had. Dus ik telde één en één bij elkaar op. Ik keek hem aan en ik wist het ineens zeker.'

'En toen?'

'Toen was hij verontwaardigd. Hij zei dat ik niet wist waar ik het over had.'

'Logisch.' Iris knikt.

'Ik dacht toen nog steeds dat het een eerwraakkwestie was, dus toen zei ik dat ik wél wist waar ik het over had omdat ik een minor Islamstudies heb gedaan.'

'Niet!' Iris slaat haar hand voor haar mond. 'Heb je dat echt gezegd? Heb je enig idee hoe dat overkomt?'

'Ja, nu wel! Maar ik bedoelde het echt niet verkeerd.' Ze laat zichzelf naast Iris op de bank ploffen en begraaft haar hoofd in haar handen. 'Ik heb hem zelfs verteld dat ik een keer een college over eerwraak heb gevolgd.'

'Laura!'

'Ik probeerde het uit te leggen en het beter te maken, maar ik maakte alles alleen maar erger. Hij dacht dat ik hem alleen interessant vond als studieobject. Echt, Iris, je had de blik in zijn ogen moeten zien. Hij was zo beledigd…'

'Heb je het nog proberen uit te leggen?'

'Hij stormde letterlijk het café uit.'

'En liet jou zitten met de rekening… lekker volwassen.'

'Euh… nee. Ik wilde afrekenen, maar hij had in al zijn woede en haast toch nog aan de bar betaald.'

'O, dat is dan wel weer lief.' Iris is even stil. 'En nu?'

'Nu… nu probeer ik hem te bereiken en hoop ik dat het nog goed komt. Maar ik ben bang dat ik het echt verpest heb. Eindelijk ontmoet ik een leuke man… die lief is en goed kan zoenen… en dan verknal ik het!'

'Ik zou hem nu geen berichtjes meer sturen. Ik denk dat hij gewoon even moet bedaren. Wie weet staat hij deze week ineens voor je neus en is alles weer goed.'

'Geloof je het zelf?' Laura kijkt opzij naar haar vriendin.

Iris haalt haar schouders op. 'Het kan.' Ze staat op. 'Ik moet gaan nu. David en ik zouden gaan wandelen.'

'Wandelen?' God, denkt ze, Iris en David gaan met de dag meer op een stel pensionado's lijken.

'Ja. Ga je anders mee? Dat mag hoor.' Ze klinkt niet heel enthousiast.

Laura schudt haar hoofd. 'Ik zou niet eens kunnen als ik zou willen.'

'Waarom niet?' vraagt Iris, die haar jas aantrekt.

'Ik denk dat ik mijn teen heb gebroken toen ik gisteren uit frustratie tegen een lantaarnpaal trapte.'

Wanneer ze maandagochtend om half tien Barista! binnenkomt, kijkt ze direct naar Iris, die achter de toonbank staat. Ze schudt haar hoofd en Laura weet gelijk wat ze bedoelt. Malik is niet geweest. Ze hangt haar jas op in het magazijn en Luigi komt uit zijn kantoortje gelopen.

'Ik hoorde van Iris wat er was gebeurd,' zegt hij.

'Huh? Echt?' Dat verbaast haar.

'Is-ie gebroken?'

'O. Mijn teen. Euh… nee, niet gebroken, maar gekneusd. Er zit tape omheen, maar ik mag alles gewoon doen.'

'Gelukkig! Wat een goed nieuws!' Luigi legt zijn hand bemoedigend op haar schouder.

'Euh… ja.'

'Gaat het wel goed met je?' vraagt hij. De tranen springen in haar ogen. Dit is niet het goede moment voor een hand op haar schouder en de vraag of het wel goed gaat.

'Ja, het gaat wel.'

'Het is ook niet niks, zo'n val van de trap. Het had veel ernstiger kunnen aflopen!'

'Euh…' Ze lacht door haar tranen heen. Iris heeft er blijkbaar een mooi verhaal van gemaakt.

De dag gaat ongelooflijk langzaam voorbij. Laura wil alleen maar naar huis, zodat ze in haar pyjama op de bank kan liggen en iedere minuut op haar telefoon kan kijken of hij al heeft gereageerd. Ze heeft haar telefoon vandaag voor het gemak maar thuis gelaten. Het doet toch alleen maar pijn om te zien dat hij niets van zich laat horen. Ze voelt zich zo enorm schuldig en ze schaamt zich kapot. Hoe meer ze erover nadenkt, hoe meer ze doorheeft hoe stom haar opmerking was. Ze zei het in een opwelling. Ergens was er iets in haar dat zijn achtergrond verbond met eerwraak, wat echt nergens op slaat als je erover nadenkt. Er kan van alles aan de hand zijn in een familie. Ze werd meegevoerd in het moment en dacht ineens dat ze doorhad hoe het zat... Misschien heeft dat juist wel te maken met haar studie. De islam en de Arabische cultuur kent ze echt alleen als studieobject en ze heeft er nooit bij stil gestaan hoe het écht is. Bij de colleges die ze volgde tijdens haar master en tijdens haar stage bij een ontwikkelingsorganisatie leerde ze de excessen kennen. Het ging alleen maar over de conflicten, de oorlogen en de problemen die de multiculturele samenleving met zich meebrengt. Terwijl het vaak een stuk genuanceerder ligt allemaal. Dat wist ze wel, maar dat was niet het eerste waar ze aan dacht zaterdag. Ze kan zichzelf wel voor haar kop slaan. Kon ze de tijd maar terugdraaien, zodat ze hem kon laten uitpraten over zijn zus... Ze wil hem zo graag beter leren kennen. Ze begon hem steeds leuker te vinden en het leek alsof ze elkaar juist zo goed begrepen. Ze had nog nooit gehad dat ze uren met een jongen kon praten zonder dat er een stilte viel of het ongemakkelijk werd. Ze leken juist zo op elkaar. Maar nu staat er iets tussen hen in wat niet zomaar weg te halen is. Haar enorm domme opmerking heeft hen uit elkaar geduwd. Er is heel wat voor nodig om die kloof weer te dichten, dat weet ze zeker. Maar wat kan ze daar zelf nu nog aan doen? Ze kan niets anders dan sorry zeggen en hopen dat hij snapt dat zij snapt hoe stom ze was...

Op dinsdag werkt ze samen met Sophie. Wanneer ze 's ochtends haar fiets neerzet, ziet ze dat Sophie voor de ingang van Barista! staat te bellen. Ze heeft nog geen sleutel, dus ze kan niet naar binnen. Zodra ze Laura in het oog krijgt, verandert er iets aan haar lichaamshouding. Het lijkt alsof ze schrikt. Als Laura naar haar toe loopt om de deur open te doen, hoort ze dat ze in het Arabisch belt. En ze kan het mis hebben, maar het lijkt er verdacht veel op dat ze het woord 'Laura' zegt. Terwijl ze de sleutel in het slot steekt, werpt ze Sophie een vuile blik toe. Sophie legt haar hand over de telefoon en zegt tegen

Laura dat ze er zo aan komt. Er komen koude wolkjes uit haar mond. Ze lijkt wel een vuurspuwende draak, denkt Laura. Ze zou toch niet met Malik aan het bellen zijn? Dat zou wel een enorm lage streek zijn. Ze heeft vast van hem of zijn zus gehoord wat er is gebeurd. Zou ze dan direct haar slag willen slaan? Het zou wel precies bij haar passen. Ze denkt aan het moment dat ze Sophie zag zoenen met Nick. Het is lang geleden, maar ze weet nog precies hoe dat voelde. Als een messteek in haar rug.

Sophie speelt de hele dag mooi weer. Ze is supervriendelijk, werkt hard en krijgt slechts twee keer hete melkstoom in haar gezicht. Laura blijft kijken of Malik binnenkomt en Sophie lijkt dat door te hebben. Iedere keer als ze hoopvol naar de deur staart en vervolgens teleurgesteld is omdat het Malik niet is, krijgt ze een bemoedigend knikje van Sophie. Ze snapt er niets van. Ze probeerde Malik toch af te pakken? Om half vijf zijn er geen klanten meer. Luigi komt uit zijn kantoor.

'Meiden, mijn broer komt zo langs,' zegt hij, terwijl hij achter de toonbank komt staan en met een theedoek de espressoapparaten oppoetst. 'Ik moet eerst even wat financiële zaken met hem bespreken, maar daarna wil ik het over de site hebben. Komen jullie er dan bij zitten? Het is het komende uur waarschijnlijk toch niet druk.'

De deur gaat open en er stapt een soort grotere, dikkere versie van Luigi binnen. Hij draagt, net als Luigi, een zwart T-shirt dat net een maat te klein is. Ook heeft hij een snor.

'Ah, daar zal je hem hebben!' roept Luigi enthousiast. Hij loopt op zijn broer af en de twee mannen omhelzen elkaar.

'Dames,' zegt Luigi. 'Dit is Mario.'

Laura werpt een blik opzij en ziet dat Sophie precies hetzelfde denkt. Luigi heeft een broer die Mario heet? Mario en Luigi? Dit moet een grap zijn. De grote man met de snor loopt op de toonbank af en schudt de handen van Laura en Sophie. Laura doet haar best om normaal te doen, maar haar lach borrelt vanuit haar buik omhoog en ze weet dat ze het uit zal proesten zodra ze haar mond opendoet. Ze houdt haar lippen stijf op elkaar geklemd en ze ziet dat Sophie al tranen in haar ogen heeft van haar ingehouden lach.

Zodra de mannen het magazijn in zijn gelopen, proest ze het uit.

'Mario en Luigi,' proest Sophie. Ze veegt haar ogen droog met haar mouw. Laura herinnert zich hoe snel Sophie altijd moet huilen van het lachen.

'En hij heeft nog een snor ook,' zegt Laura. Ze kijkt opzij. 'Weet je nog hoe we altijd Mario Kart speelden op de Nintendo van mijn broer?'

Sophie knikt. 'Natuurlijk weet ik dat nog! Hij werd altijd boos als hij terugkwam uit school en wij op zijn kamer zaten.'

'Wie had er ooit kunnen denken dat we Mario en Luigi echt zouden ontmoeten?'

Sophie is even stil, maar begint dan weer met lachen. Laura lacht mee. Het is weer even alsof ze veertien zijn en samen de slappe lach hebben.

Ze gaan ieder weer verder met opruimen. Laura loopt nog

nahikkend van het lachen naar de andere kant van de bar om tafels af te nemen en Sophie blijft achter de toonbank staan. Als ze tien minuten later met Mario en Luigi aan de leestafel zitten, merkt ze dat er iets veranderd is in de sfeer tussen haar en Sophie. Het is niet zo dat ze haar minder achterbaks vindt of dat ze haar er niet meer van verdenkt dat ze Malik wil af-pakken. Het is gewoon dat ze ineens weer weet waarom ze ooit vriendinnen waren.

13

Luigi bladert nerveus door zijn papieren. Het zweet gutst van zijn voorhoofd. Mario is een stuk rustiger. Hij zit met zijn armen over elkaar, alsof hij het allemaal onder controle heeft. Hij legt rustig uit dat hij een simpele website kan maken, die eenvoudig bij te houden is. Door de barista's en zelfs door Luigi. Laura en Sophie lachen en Luigi maakt een grommend geluid.

'Ik heb een restaurant in Den Bosch,' gaat Mario verder. 'We hebben net een gloednieuwe keuken aangeschaft.'

Luigi knikt. 'Mario's Pizza's doet het echt fantastisch,' zegt hij trots.

'Ik ga een van onze oude ovens hier neerzetten,' zegt Mario. 'Dan kunnen jullie daar muffins, broodjes, taarten en brownies in bakken.'

'We houden het voorlopig bij muffins,' onderbreekt Luigi hem. 'Ik vertel het zo snel mogelijk aan Iris.' Hij glundert helemaal bij de gedachte.

'Laura, ik begreep dat jij bezig was geweest met de Facebook-pagina?' vraagt Mario.

Laura slikt. Door al het gedoe met Malik is ze er eigenlijk

niet meer aan toe gekomen. 'Nou...' antwoordt ze. 'Ik heb inderdaad een pagina aangemaakt. Ook heb ik vorige week wat mooie foto's gemaakt in de bar. We zijn alleen nog niet online, omdat ik wil dat het er mooi uitziet. Ik kreeg het in mijn eentje niet voor elkaar en... en...'

'Ah ja, ik kreeg het mailtje een uur geleden binnen,' zegt Luigi.

'Welk mailtje?' Laura trekt haar wenkbrauwen op.

'Van die grafisch ontwerper. Hij mailde dat jij hem had gevraagd om een ontwerp te maken voor de Facebookpagina. Hij heeft het naar het mailadres van Barista! gestuurd.'

Laura's mond valt open. 'Van Malik?'

'Ja, Malik, inderdaad,' zegt Luigi. 'Het ziet er goed uit! Het kan er zo op.'

'Wil je het even naar mij doormailen?' vraagt ze zachtjes.

'Heeft hij het niet naar jou gemaild dan?' Luigi fronst.

'Dat is hij vergeten, denk ik.' Ze kijkt opzij naar Sophie, maar die haalt haar schouders op en weet hier duidelijk niets van.

Op de fiets naar huis, bedenkt ze zich dat ze Maliks mailtje op twee manieren kan opvatten. Hij heeft het allemaal laten bezinken en dit is zijn manier om te zeggen dat hij haar excuses accepteert en dat hij weer contact wil. Of... hij is echt helemaal klaar met haar, maar wilde dit heel graag voor Barista! doen. In beide gevallen is het echt onwijs lief. Ze voelt zich alleen maar schuldiger.

Thuis plof ze op de bank en pakt ze haar telefoon. Ze typt wel tien keer een berichtje, maar iedere keer verwijdert ze alles weer. Misschien moet ze Iris' raad opvolgen en even wachten met contact opnemen. Aan de andere kant... zijn mailtje naar Barista! vandaag was een duidelijke vorm van contact. Hij wist dat dit bij haar terecht zou komen. Uiteindelijk typt ze weer een berichtje.

> Lieve Malik. Bedankt voor het ontwerp van de facebookpagina. Supermooi en heel lief van je. x Laura. PS Het spijt me nog steeds en ik wil je weer zien.

Ze drukt op verzend.

Iris slaat haar hand voor haar hart en knippert met haar ogen als Laura haar vertelt over het ontwerp van Malik.

'Dat is zo bizar lief van hem,' zegt ze. 'Ik bedoel, hij haat jou en wil nooit meer iets met jou te maken hebben en dan doet hij dit!'

'Iris!' Laura pakt haar theedoek uit haar schort en maakt haar filterdrager schoon. Ze vult de houder met gemalen bonen en klemt hem in het espressoapparaat. Ze maakt een cappuccino voor zichzelf en Iris voordat ze beginnen met werken. Sophie zou er ook moeten zijn, maar Luigi sms'te net dat ze heeft doorgegeven dat ze later komt. Luigi is zelf in Den Bosch om de oven van Mario op te halen.

'Oké, sorry, maar dat is wel een beetje hoe het zit, toch?' zegt Iris, wanneer Laura geen lawaai meer maakt met het stoompijpje.

'Je hebt gelijk.' Ze zucht. 'Hij heeft nog niet gereageerd op mijn berichtje en dat zegt genoeg. Ik moet hem uit mijn hoofd zetten.'

Ze zet de cappuccino's op de leestafel en gaat zitten. Iris komt tegenover haar zitten. 'Ik dacht gewoon heel even dat ik een heel leuk vriendje zou kunnen hebben,' zegt ze.

Iris legt haar hand op de hare. 'Hé, er komt echt wel weer iemand. En wie weet komt het zelfs nog goed met Malik. Het is nog niet eens een week geleden en jullie hadden zo'n leuke chemie samen. Dat moet hij toch ook gemerkt hebben.'

Laura reageert hier niet op. Ze wil de moed nog niet opgeven, maar nadat hij gisteren weer niet reageerde op haar berichtje, vreest ze dat ze hem nooit meer ziet.

'Hoe was het zondag, eigenlijk?' vraagt ze.

'Zondag?' Iris kijkt haar vragend aan.

'Je ging toch wandelen met David?'

'O, ja... dat.' Iris neemt een slok van haar cappuccino. 'Hij moest werken, dus we zijn uiteindelijk niet meer gegaan.'

'Op een zondagmiddag?'

'Ja, ze zijn bezig met een heel groot project op zijn werk. En dit zijn de jaren dat hij zich moet bewijzen. Hij wil graag hogerop komen, maar hij is niet de enige.'

Laura rolt met haar ogen. Ze wil er iets van zeggen, maar ze houdt wijselijk haar mond. Ze is wel de laatste die op dit moment relatieadvies moet geven.

Die middag is het erg druk. Ieder tafeltje is bezet en er staat een enorme rij mensen die een koffie to-go willen. Er is echt geen peil op te trekken, denkt Laura. Iris kan twintig taart-diagrammen maken, maar gisteren om deze tijd zat er niemand en vandaag zit het helemaal vol en er is in de tussentijd niets veranderd. Misschien is er net een tentamen afgelopen, misschien is er aan de overkant een *pumkin spice latte*-vergiftiging uitgebroken. Ze zullen het nooit weten. Het is in ieder geval goede afleiding, want ze kan echt wel janken iedere keer dat ze op haar telefoon kijkt en ziet dat ze geen berichtjes en nul gemiste oproepen heeft.

Als zij en Iris net een rij hebben weggewerkt, komt Sophie met een dienblad vol lege bekers en glazen naar de toonbank gelopen. Ze ziet eruit alsof ze een spook heeft gezien. Het valt Iris ook op.

'Gaat het wel?' vraagt ze bezorgd.

'Ja, hoor,' antwoordt Sophie met de nepste glimlach die Laura ooit heeft gezien. Als ze even later met een blad vol muntthee weer wegloopt, kijkt ze goed waar haar collega naartoe loopt. Ze loopt recht op een groep meisjes in de hoek af en draait haar lichaam op zo'n manier dat ze de jongens achter zich niet ziet. Sophie vermijdt iemand. Dat is duidelijk. Ze loopt een stukje achter de toonbank vandaan om stiekem te kijken. Ze knijpt haar ogen samen…

Huh… denkt ze. Daar heb je hem weer. Ze kijkt nog een keer naar de bekende bos krullen. Ze kan het van deze afstand niet heel goed zien, maar ze raakt er steeds meer van overtuigd dat het hem echt is.

Ze loopt snel weer terug. 'Iris,' fluistert ze. 'Volgens mij zie ik iemand die ik ken. Tafel in de hoek bij het raam.'

'Wie? Sophie doet ook al zo krampachtig. O nee... is het Malik? Is hij hier gewoon gaan zitten zonder iets te zeggen?' Ze strekt haar nek uit om het beter te kunnen zien. 'Ik zie alleen die blonde krullenbol. Was hij laatst niet ook al hier? Helemaal jouw type, als ik het zo bekijk.'

'Dat is het ook,' fluistert Laura. 'Want ik denk dat dat Nick is.'

'Nick? Die jongen op wie jij je hele middelbare schooltijd verliefd was en met wie Sophie zoende op het examenfeest?'

'Niet zo hard!' sist ze naar haar vriendin. 'En niet zo over-dreven kijken. Ik weet het niet zeker, maar hij lijkt er ver-dacht veel op. En aangezien Sophie zo debiel doet, denk ik dat het hem is.'

'O, Laura.' Iris lacht en slaat een hand voor haar mond.

'Wat?'

'Je hebt me nooit verteld hoe hij eruit zag...'

'Ja, dus?'

'Ik snap je obsessie voor jongens met blonde krullen ineens. Je zocht al die tijd iemand die leek op je allereerste *crush*... hoe schattig!'

'Niet waar,' sist ze terug. 'Dit is toevallig gewoon een type waar ik op val. Dat was vroeger zo en dat is nu nog zo.'

'Al val je ook op Malik en lijkt deze jongen wel een negatief van Malik. Hij is echt precies het tegenovergestelde. Wat ga je tegen hem zeggen?'

'Niets! Ik denk niet dat hij mij nog kent.'

'Zo erg ben je niet veranderd hoor. Die ene rimpel op je voorhoofd daar gelaten dan...'

'Ik heb nooit met hem gepraat. Hij zat in een andere klas.

Ik denk serieus niet dat hij weet wie ik ben. Ik was van plan om hem op het examenfeest voor het eerst aan te spreken. Net toen ik mezelf genoeg moed had ingedronken, zag ik dat Sophie speeksel met hem stond uit te wisselen.'

Sophie is weer terug bij de toonbank.

'Is dat...' vraagt Laura, die knikt in de richting van de tafel in de hoek.

'Ja,' zegt Sophie.

'Wat zei hij?'

'Niets. Ik denk niet dat hij mij herkent.' Sophie loopt de bar weer in.

Laura fronst. 'Dat lijkt me sterk. Of was het heel donker in het fietsenhok die avond?' mompelt ze.

Het uur daarna houdt ze de tafel van Nick nauwlettend in de gaten. Ze merkt dat Sophie het tegenovergestelde doet. Die kijkt constant de andere kant op. Gek, denkt ze. Ze is zo lang verliefd geweest op die jongen en nu zit hij hier ineens. Hij is nog steeds knap. Hij draagt een felgroen gewatteerd jack, met zo'n gestreepte baseball-onderkant. Vroeger was hij best alternatief, nu lijkt hij rechtstreeks uit de H&M-catalogus gestapt. Hij zit vaak aan zijn haar. Maar het is ook erg mooi haar, denkt Laura. Hij kijkt af en toe naar de toonbank en soms kijkt hij haar recht aan, maar er gaat duidelijk geen lichtje bij hem branden.

Als hij met zijn groepje wegloopt, staan alle drie de barista's achter de toonbank. Wanneer Iris de jongens luid een fijne middag wenst, kijkt Nick om. Hij knijpt zijn ogen samen en even denkt Laura een vonk van herkenning te zien. Van haar, niet van Sophie, want die is omlaag gedoken en doet alsof ze iets uit de afwasmachine moet pakken. Hij steekt zijn hand op bij wijze van groet en loopt door.

'Gek hè,' zegt Iris, wanneer de deur achter hem dicht valt. 'Als dit twee weken geleden was gebeurd, had je nu waarschijnlijk een vreugdedansje gedaan omdat jouw perfecte droomjongen Barista! was binnengewandeld.'

'Ja,' zegt Laura. 'Misschien wel.'

Na sluitingstijd, tijdens het opruimen, belt Luigi. Iris neemt op en geeft zijn boodschap door aan de andere barista's.

'Luigi zegt dat wij moeten afsluiten. Hij komt vanavond laat de oven pas brengen, omdat hij nog pizza wil eten bij Mario,' roept ze, terwijl ze van het kantoor de bar weer inloopt.

Laura kan het niet helpen, ze moet weer lachen. Ze ziet helemaal voor zich hoe Mario en Luigi samen een pizza verorberen. Sophie lacht ook.

'Wat? Wat is er?' vraagt Iris.

'Vind je het niet grappig?' zegt Sophie. 'Mario... en Luigi?'

'Wat is daar grappig aan?' Iris snapt het niet.

'Heb je nooit een spelcomputer gehad?' vraagt Laura verbaasd. 'Mario en Luigio? Super Mario Bros? Mario Kart?'

Iris schudt haar hoofd. 'Ik weet niet waar jullie het over hebben, maar ik ben blij dat jullie iets hebben om samen over te lachen.'

Net wanneer ze de tafels willen afnemen en stofzuigen, komt Sophie met haar jas aan en haar telefoon in haar hand uit het magazijn gelopen.

'Ik ben heel even weg,' roept ze. 'Zo terug.'

'Serieus…' zegt Laura verontwaardigd, zodra Sophie de deur achter zich dicht trekt, 'gaat ze nu weg terwijl we aan het opruimen zijn? Zij zou het toilet schoonmaken! Dat is toch niet normaal?' Ze kijkt naar Iris.

'Tja…' zegt Iris. 'Het zal wel iets belangrijks zijn.'

Een paar minuten later klopt Sophie op de deur. Die zit op slot, want het is na sluitingstijd.

'Ik doe wel even open,' zegt Iris.

Laura fronst. Waarom gaat Sophie weg en komt ze daarna weer terug? Wat een raar kind is het toch, denkt ze, terwijl ze de afwasmachine inruimt. Wie gaat er nu weg tijdens het schoonmaken? Moest ze de parkeermeter voor haar fiets bijvullen, of zo?

'Laura!' Sophie roept haar.

'Ja!' zegt ze geïrriteerd. Ze gooit de klep van de afwasmachine met een klap dicht en komt overeind. Haar mond valt open.

'Ik heb iemand voor je meegenomen,' zegt Sophie.

14

'Malik.' Ze laat haar theedoek op de grond vallen en staart hem aan.

'Laura,' zegt hij. Hij loopt op haar af, totdat alleen de toonbank nog tussen hen in staat. Hij kijkt ernstig, maar ze ziet zijn chocoladebruine ogen sprankelen. Zijn leren jas is nat van de regen. Zijn gezicht glimt en de regendruppels glinsteren op zijn donkere haar.

'Wij gaan!' Iris komt het magazijn uitgelopen met haar jas en tas in haar hand.

'Jij sluit alles wel af zo, toch?' roept Sophie.

Iris knipoogt naar haar en de twee barista's lopen de regen in en trekken de deur achter zich dicht.

'Zullen we...' begint hij.

'Wil je...' zegt ze tegelijkertijd. Ze gebaart naar hem dat hij zijn zin mag afmaken.

'Zullen we even gaan zitten?' vraagt hij.

Ze knikt en wijst naar de leestafel. 'Wil je koffie, of iets anders?'

'Doe maar een cappuccino.'

Ze merkt dat haar handen trillen als ze de filterdrager in

het apparaat drukt. Haar hart bonst in haar keel. Hij komt hier om het goed te maken... toch? Of heeft hij een andere reden? Ze kijkt stiekem naar hem en ziet dat hij nerveus zijn hand door zijn haar haalt. Ze schenkt melkschuim op de twee kopjes koffie – bij allebei een hartje – en loopt met de bekers naar de leestafel. Haar voet blijft haken achter een van de tapijten en ze voelt hoe haar rechterknie doorzakt. Ze weet zich te herstellen voordat ze plat op haar gezicht valt en het lukt haar ook nog net om de kopjes recht te houden. Toch springt Malik uit zijn stoel om de kopjes van haar aan te nemen.

'Gaat het?' vraagt hij.

'Ja, het gaat. Dank je.' Ze voelt dat haar wangen warm en rood zijn. Ze gaan zitten. Tegenover elkaar. Ze zegt niets. Het is nu echt aan hem om iets te zeggen. Zij heeft alles proberen uit te leggen in haar berichtjes en hij heeft nog helemaal niets gezegd. Bovendien is ze als de dood om weer een domme opmerking te maken.

'Sophie heeft me hier naartoe gehaald,' zegt hij.

O. Dat was niet wat ze hoopte te horen.

'Ze heeft me een en ander uitgelegd,' gaat hij verder.

'O?' Ze trekt haar wenkbrauwen op. Wat zou Sophie hem verteld hebben?

'Ze voelt zich schuldig. Ze vertelde dat ze jou had verteld dat ik strenge ouders had en dat jij dat waarschijnlijk helemaal verkeerd hebt opgevat. Ze... ze vond dat ik je nog een kans moest geven om het uit te leggen.'

'En jij? Vind jij dat ook?'

Hij knikt en neemt een slok van zijn cappuccino. 'Ik was

echt heel kwaad. Je moet begrijpen dat ik vaker heb meegemaakt dat mensen echt een enorm vooroordeel over mij en mijn familie hebben. Dat is zo frustrerend en zo… vermoeiend.'

'Dat snap ik.'

'Maar ik heb erover nagedacht en eigenlijk had ik na jouw opmerking ook te snel een vooroordeel over jou.'

'Echt?'

'Ik heb je niet laten uitpraten en ik ging ervanuit dat je mij om de verkeerde redenen interessant vond. Dat je iemand was die het grappig vond om een vriend met een andere achtergrond te hebben, omdat je daar tijdens je studie zulke leuke colleges over hebt gevolgd. Na jouw berichtjes en na Sophies telefoontjes snap ik nu dat dat niet zo is. Maar je moet begrijpen dat het heel extreem was, wat je zei…'

'Dat weet ik,' stamelt ze. 'En ik schaam me zo erg. Je begon over je zus en je ouders en mijn brein legde ineens allerlei bizarre verbanden en voor ik het wist flapte ik het eruit. Ik kan me helemaal voorstellen hoe arrogant het overkomt als iemand jouw cultuur alleen op de universiteit heeft bestudeerd. Zo ben ik helemaal niet. Ik weet dat het allemaal een stuk genuanceerder ligt. Ik bedoel, je zei dat je ouders uit Tunesië kwamen en ik ging er gelijk vanuit dat ze moslims waren.'

'Dat zijn ze ook.'

'O.'

'Maar niet heel streng. En ik zelf al helemaal niet.'

Ze draait een pluk haar om haar vingers. 'Daar ging ik al vanuit, omdat je alcohol drinkt.'

'En afsprak met een enorm westers meisje.'

'Enorm westers?' Ze lacht. 'Dat weet jij helemaal niet. Misschien kom ik wel uit Rusland. Of Marokko.'

Hij knijpt zijn ogen samen. 'Echt?'

'Nee. Overijssel. Maar even serieus... ik wil ook niet dat je denkt dat ik vaak met klanten afspreek. Dat had ik eigenlijk nog nooit gedaan. Ik... ik weet niet of jij hetzelfde had... maar ik vond wat wij hadden heel... heel...'

'Bijzonder?'

'Ja. Dat, ja.' De stilte die volgt is niet per se ongemakkelijk. Ze kijkt naar de stapel kranten die voor haar ligt.

'Kom eens hier,' zegt hij. Ze kijkt op. Hij lacht naar haar. Ze loopt om de tafel heen, totdat ze recht voor hem staat. Hij trekt haar op zijn schoot en ze legt haar armen om zijn schouders. Hij ruikt weer naar leer en regen, denkt ze. Hun gezichten zijn slechts een paar centimeter van elkaar verwijderd. Ze buigt haar gezicht nog verder naar hem toe en staart in zijn bruine ogen. Als haar lippen de zijne raken, sluit ze haar ogen en voelt ze een tinteling door haar hele lichaam trekken. Ze vlecht haar vingers in zijn krullen. Hij legt zijn handen om haar middel en trekt haar nog dichter naar zich toe. Hij smaakt naar koffie, denkt ze, terwijl ze ineens een onheilspellend geluid hoort. Voordat ze doorheeft wat het is, zakt Malik – en zij dus ook – met een schok omlaag. Ze weet nog net op tijd van zijn schoot af te springen, maar Malik heeft minder geluk. Hij valt plat op zijn rug op het Perzische tapijt, met de restanten van de houten stoel om zich heen.

Ze hapt verschrikt naar adem. 'O, nee! Malik! Gaat het wel?'

Hij ligt doodstil. Daarna maakt zijn borstkas schokkende bewegingen en even denkt ze dat hij een epileptische aanval krijgt. Maar hij lacht. Godzijdank. Ze kijkt naar hem. Een grote, stoere vent met zijn leren jas nog aan, op zijn rug op een tapijt. Gevloerd door een krakkemikkige houten stoel. Ze moet vanzelf ook lachen. Ze lacht zo hard dat ze tranen in haar ogen krijgt.

'Ik zou nu een flauwe opmerking kunnen maken over dat ik voor je gevallen ben,' zegt hij.

'Doe maar niet.' Ze veegt de tranen uit haar ogen. Ze steekt haar hand uit om hem overeind te trekken, maar in plaats van dat hij zich optrekt, trekt hij haar naar de grond. Ineens vindt ze die tapijten Luigi's beste idee ooit.

De wekker gaat vroeg. Even denkt ze dat ze alles heeft gedroomd. Maar wanneer ze haar telefoon van haar nachtkastje pakt en Maliks lieve berichtjes ziet, weet ze dat het echt is. Ze slaakt een klein gilletje van blijdschap. Het is echt waar. Ze hebben het gisteren echt uitgepraat…euh…gezoend. Ze springt uit bed en wanneer ze even later neuriënd op de fiets zit, denkt ze terug aan hun zoen, die op de grond eindigde. Ze zijn niet lang blijven liggen. Ze bedacht zich ineens dat Luigi ieder moment kon binnen komen met de oven. Het was wel heel gênant geweest als hij haar zo had betrapt. Na nog een lange afscheidszoen bij haar fiets, spraken ze af om elkaar dit weekend weer te zien. Ze gaat zondagavond bij hem langs en hij gaat voor haar koken. Ze kan niet wachten om meer over hem te weten te komen en hem beter te leren kennen. Ook is ze blij dat ze niet bij haar afspreken. Hij denkt nog steeds dat ze in de buurt van zijn zus woont. Dat moet ze snel rechtzetten. Zonder dat het lijkt alsof ze moedwillig heeft gelogen… en zonder te verklappen dat ze hem achtervolgde. Bovendien is ze geen keukenprinses en wil ze hem niet teleurstellen. Ze zou Iris natuurlijk kunnen inschakelen en doen alsof ze het zelf gekookt heeft. Maar dat is oneerlijk. Mochten ze dan een serieuze relatie krijgen, dan zou het een soort van kiezersbedrog zijn.

Ze rijdt langs de Starbucks, waar geen rij staat, om de eenvoudige reden dat ze nog niet open zijn. Ze heeft extra vroeg afgesproken met Luigi en Iris om te praten over het plan om Barista! te redden en om de oven te testen. Sophie is vandaag vrij. Ze zet haar fiets neer en ziet dat de lichten al aan zijn. Ze is nog aan het klooien met haar slot, wanneer Iris – zonder jas – naar buiten komt rennen. Ze slaat Laura op haar bovenarm.

'Au!' zegt ze. 'Waarom doe je dat?'

'Je reageert niet op mijn berichtjes! Ik ben zo benieuwd hoe het was!'

'Ik heb je toch een smiley gestuurd!' Ze heeft haar kettingslot eindelijk los en maakt het voorwiel van haar fiets vast aan een lantaarnpaal.

'Een smiley met zijn tong uit zijn mond en twee kruisjes als ogen. Ik wist niet hoe ik dat moest opvatten!'

'Hoe kun je die smiley verkeerd opvatten?'

'Ik dacht altijd dat dat een dode smiley moest voorstellen. En toen ik die kapotte stoel in het magazijn zag, maakte ik me helemaal zorgen.'

Laura proest het uit. 'Ik leef nog.'
'Maar die stoel...'
'Ik vertel het je zo!'

Iris is als een kind zo blij met de oven. Het apparaat heeft een plekje gekregen achter de toonbank en de eerste lading muffins staat er al in. Als de mensen buiten de speculaas- en chocoladegeuren konden ruiken die nu in de hele bar hangen, zou het hier binnen een mum van tijd propvol zitten, denkt Laura. Ze zit aan de leestafel en heeft haar vriendin net zo snel als ze kon het hele verhaal van gisteravond verteld. Luigi is iets uit het kantoor halen en hij wil voordat ze open gaan nog even praten over de nieuwe strategie. Iris legt uit hoe Sophie haar best heeft gedaan om Malik naar Barista! te laten komen.

'Kun je haar nummer naar mij doorsturen? Dan stuur ik een berichtje om haar te bedanken,' zegt Laura. Ze vindt dit echt uitzonderlijk vriendelijk van Sophie en het is niet meer dan eerlijk om haar daarvoor te bedanken. Wel blijft ze zich afvragen of dit niet toch stiekem een of andere achterbakse streek is. Ze kan zich niet voorstellen dat Sophie zomaar iets voor haar zou doen.

'Doe ik zo even,' zegt Iris, net op het moment dat Luigi de bar weer in komt lopen.

'Wat is er met die stoel gebeurd?' vraagt hij, terwijl hij naar het magazijn gebaart.

Iris en Laura moeten allebei lachen. Laura voelt weer kriebels in haar buik als ze denkt aan het moment op de stoel gisteren.

'Wat? Wat is er?'

'De stoel is stuk,' zegt Laura. 'Er is… er was…'

'Er was iemand doorheen gezakt,' springt Iris bij. 'Daarom lachen we. Want het was een erg grappig gezicht.'

'En is diegene gewond geraakt? Een rechtszaak is echt het laatste dat ik nu kan gebruiken.'

'Nee,' zegt Laura snel. 'De persoon sprong op voordat hij de grond raakte. Niets aan de hand. Hij moest er zelf ook om lachen.'

'Gelukkig maar.' Luigi gaat zitten. 'Sophie is druk bezig met de organisatie van de Singer-Songwriterbokaal,' gaat hij verder. 'We doen het op een donderdagavond, de week voor Sinterklaas. Dan is het druk in de stad en komen er hopelijk een hoop mensen kijken. Ze heeft al flyers neergelegd bij de muziekopleidingen in de stad en bij poppodia. Ook zorgt ze voor een jury met een muziekdocent en een bekende zanger.'

'Wie?' vraagt Iris.

'Ik ben zijn naam vergeten.'

Laura is onder de indruk. Sophie doet duidelijk haar best om indruk te maken op Luigi. Al kent ze waarschijnlijk zo veel mensen in de muziekindustrie dat het niet zo veel moeite kost om dit te regelen.

'En Laura, ik zie dat de Facebookpagina online is en dat we al dertig fans hebben.'

'Klopt!' zegt ze. 'Maar om eerlijk te zijn, zijn dat alleen nog maar vrienden van Iris en mij. Nu moeten we er voor zorgen dat andere mensen de pagina vinden. Ik stel voor om in ieder geval op ons krijtbord, op het bord boven de toonbank en op de menukaartjes de pagina te vermelden.'

Laura vindt het aandoenlijk hoe Luigi zich ineens lijkt te bekommeren om de Facebookpagina.

'Ik heb het zo vaak tegen hem gezegd,' zegt ze als ze die middag met Iris achter de toonbank staat. 'Maar hij wilde er niets van weten. En nu lijkt het zijn nieuwe favoriete hobby.'

'Drieënveertig,' roept Luigi, die zijn kantoortje uit komt lopen. 'Drieënveertig al!'

Laura steekt haar duimen naar hem op en lacht.

Het is niet druk in de bar. Iris is bezig met een nieuwe lading muffins en Laura is kopjes aan het opstapelen. Ondertussen dagdroomt ze over haar date met Malik dit weekend. Hoe zou zijn huis eruit zien? En wat moet ze aan? Een date bij iemand thuis is wel even iets anders dan een date in een café. Net wanneer ze zich afvraagt of ze nieuw ondergoed moet kopen, stoot Iris haar aan.

'Aarde aan Laura,' fluistert ze. 'Wat doet Luigi?'

'Huh?' antwoordt ze. Ze ziet hoe haar baas bij een groepje meisjes aan een tafel bij het raam staat. De meisjes fronsen en lijken hem niet te begrijpen. Luigi loopt naar een andere tafel.

Laura loopt er naartoe.

'Vind je ons leuk?' hoort ze hem zeggen.

'Uh...' antwoordt een van de jongens aan de tafel.

'Want als je ons leuk vindt, kun je meedoen aan allerlei leuke acties,' gaat Luigi verder. De meisjes aan de tafel ernaast kijken hem nog steeds verbaasd aan.

'Hij bedoelt op Facebook,' zegt Laura, die naast hem komt staan.

'O!' zegt de jongen.

'Aha!' zeggen de meisjes aan de tafel ernaast.

'Dat moet je er wel even bij zeggen, Luigi,' zegt ze, terwijl ze een hand op zijn schouder legt. Ze draait zich om en knipoogt naar Iris, die haar hand voor haar mond heeft gelegd in een poging niet te hard te lachen.

15

Malik woont echt in een hele mooie straat. Laura is onder de indruk. Er staan hoge herenhuizen en veel bomen. Ze fietst wel eens door deze straat onderweg naar het park, maar ze kent niemand die hier woont. Aan de auto's te zien, verdienen de mensen hier best aardig. Het is tien voor zeven. Of om precies te zijn: negen voor zeven. Ze is aan het begin van de straat en stapt van haar fiets. Ze vindt het erg oncool om bijna tien minuten te vroeg te komen en besluit dus om het laatste stukje heel langzaam te lopen. Aan de naamplaatjes op de deuren te zien, worden notarispraktijken, huisartsenpraktijken en wijnhandelaren afgewisseld met studentenhuizen. Ze vraagt zich ineens af of Malik nog in een studentenkamer woont. Dat kan natuurlijk... maar ze denkt het niet. Ze vindt het niets voor hem.

Als ze haar fiets in het rek voor zijn huis zet, bonst haar hart in haar keel. Ze is nerveuzer dan bij hun eerste date. Eigenlijk is dit weer een soort eerste date. Hij heeft haar een tweede kans gegeven en ze beginnen opnieuw. Bij hem thuis. Ze belt aan en slikt. Ze hoopt dat hij niet al te veel heeft gekookt, want ze krijgt geen hap door haar keel met deze zenuwen. Er klinkt een zoemer en ze drukt de deur open.

'Hoi!' roept hij. Het klinkt ver weg. 'Vierde verdieping!'

'Oké!' roept ze terug. Ze begint aan de beklimming naar boven. O, mijn god… denkt ze na twee trappen. Als ze hier vaker gaat komen, is een abonnement op de sportschool niet meer nodig. Op de vierde verdieping staat een deur open en als ze bijna boven is, verschijnt het lachende gezicht van Malik in de deuropening.

'Wat een klim!' zegt ze.

'Sorry,' antwoordt hij.

Als ze boven is en recht voor hem staat, hijgt ze zo hard dat het lijkt alsof ze een sprintje heeft getrokken naar de trein.

'Ik heb geen conditie,' weet ze nog net uit te brengen.

Hij legt zijn hand op haar schouder en geeft haar een kus op haar mond. Hij draagt een donkergrijs t-shirt en een donkerblauwe spijkerbroek en heeft een roodgeblokte theedoek om zijn schouder geslagen, waardoor hij zowaar een echte kok lijkt. Hij draagt geen schoenen. Een keukenprins op sokken. Ze staan in het halletje van zijn huis en hij pakt haar jas aan. Ze doet haar schoenen ook maar gelijk uit.

Hij opent de deur voor haar en ze stapt zijn woonkamer in. 'Wow,' zegt ze vanzelf.

'Ja, het is even een klim, maar dan heb je ook wat,' lacht Malik.

Ze had verwacht dat hij een echte mannenwoning zou hebben, met donkere meubels en een kille uitstraling. Maar dit is compleet anders. De ruimte is heel licht. Er zijn overal ramen en omdat ze zo hoog zitten, kijken ze uit op de bomen, waardoor het lijkt alsof ze midden in een bos zitten, in plaats van in de stad. De vloer is van licht hout en de meubels ook bijna allemaal. Er staan boekenkasten vol designboeken en onder de koffietafel ligt een lichtgrijs kleed. De grote eye-catcher is een appelgroene bank.

'In de zomer, als de blaadjes aan de bomen zitten, is het hier een stuk minder licht, maar het groen van de bomen past dan wel perfect bij de bank,' zegt Malik, die ziet waar ze naar kijkt.

Dit is natuurlijk wat hij doet, denkt ze. Dingen ontwerpen. Dingen mooier maken.

'Zal ik je een rondleiding geven door de rest van het huis?' vraagt hij.

De rest van het huis is even indrukwekkend. De badkamer is klein, maar heeft wel een bad. De slaapkamer is wel weer heel ruim. Er is een klein balkonnetje en zijn boxspringbed met donkerblauw satijnen dekbed ziet er comfortabel uit. Ook is er nog een klein kamertje, waar een tafel staat met een computer met maar liefst drie schermen. In de hoek ligt kinderspeelgoed. Voor zijn neefje, legt hij uit. De keuken zit vast aan de woonkamer. Je moet alleen even een hoekje om, om er te komen. Het ruikt er echt heerlijk .

'Ik heb een quiche gemaakt,' zegt hij. 'Hij staat net in de oven.'

Haar mond valt letterlijk open van verbazing.

'Wat?' zegt hij, terwijl hij zijn armen om haar middel slaat en haar tegen zich aandrukt. 'Had je gedacht dat ik Chinees zou halen? Of dat ik een kant-en-klare salade van de Albert Heijn in een bak zou gooien?'

'Misschien,' zegt ze, terwijl ze naar hem lacht.

Hij kust haar en het lijkt alsof hij haar zenuwen weg kust. Ze voelt hoe haar hele lichaam in zijn armen ontspant.

Hij onderbreekt hun zoen. 'Ik zou zo de hele avond willen blijven staan, maar ik wil nog een salade maken.'

Hij schenkt een glas rode wijn voor haar in en weigert haar aangeboden hulp. Niet dat ze zin had om een tomaat in stukjes te hakken, maar het is wel zo netjes om het aan te bieden natuurlijk.

'Hoe zit het eigenlijk met jou?' vraagt hij. 'Ben je een beetje een keukenprinses?'

'Nou…' begint ze. Ze leunt tegen het aanrecht en ziet hoe hij een komkommer te lijf gaat. Zelf heeft ze alleen een bot aardappelschilmesje. Een paarse met glitters. Maar Malik heeft een echt koksmes. En grote handen, denkt ze. Hij trekt zijn wenkbrauwen op en ze realiseert zich dat hij op een antwoord wacht. Ze kan maar beter eerlijk zijn. Een echte kok heeft een keukenkluns zo ontmaskerd. 'Ik hou heel erg van lekker eten,' zegt ze. 'Maar om eerlijk te zijn, heb ik nooit zin om te koken. Ik vind het gewoon te veel moeite.'

'Echt?' vraagt hij.

'Ben je teleurgesteld?'

'Dat niet. Wel verbaasd. Ik bedoel, je werkt in een koffiebar.'

'Ja, ik ben wel een echte koffienerd. Ik heb thuis een goed espressoapparaat en je moet bij mij echt niet met Senseo aankomen. Maar koken… daar heb ik geen geduld voor. Als jij bij mij was komen eten, had ik Iris waarschijnlijk ingeschakeld voor de catering.'

Hij lacht en snijdt met een vloeiende beweging een granaatappel doormidden.

Het eten is zo lekker dat ze bijna in de verleiding komt om het recept te vragen. Al was het maar om door te geven aan Iris. De zenuwen zijn gelukkig helemaal weg. Ze was bang dat Malik nog boos op haar zou zijn, maar als dat zo is, laat hij dat niet merken. Ze drinken rode wijn en praten en lachen. Hij vertelt haar dat hij dit huis zo'n tien jaar geleden gekocht heeft. Hij is na zijn mbo-opleiding gelijk gaan werken en na een paar jaar kon hij een huis kopen. Dat had met de economische crisis van nu nooit gekund, maar hij is blij dat hij destijds die keuze gemaakt heeft.

Laura is onder de indruk. Hij heeft dit allemaal bereikt door keihard te werken. Wat heeft zij zelf nou eigenlijk gedaan in haar leven? Ze is na haar vwo een jaar gaan reizen. Zogenaamd om na te denken over wat ze wilde, maar stiekem gewoon om te feesten en om het studeren uit te stellen. Daarna heeft ze zeven jaar lang een studie gedaan waar ze nu helemaal niets aan heeft…

Hij heeft Magnums met koffiesmaak gekocht als toetje. Ze verdenkt hem er bijna van dat hij Iris heeft gebeld om haar te vragen wat haar favoriete ijsje is. Ze neemt een hap van de zoete chocolade en proeft daarna het koude koffieijs in haar mond. Ze kijkt hoe hij hetzelfde doet. Hij likt een stukje achtergebleven chocolade van zijn onderlip. Ze vindt ineens dat hij erg ver weg zit en hij denkt er blijkbaar precies hetzelfde over want hij stelt voor om op de bank te gaan zitten.

Ze staan allebei op en nog voor ze bij de bank zijn, trekt ze hem aan zijn riemlussen naar zich toe en kust ze hem. Hij lijkt even verrast, maar kust haar dan terug. Hij legt zijn ijsje op tafel en zij doet hetzelfde. Zonde. Maar er zitten er zes in een pak, dus ze kunnen er later nog eentje nemen, denkt ze. Hij kust haar nek en ze hoort hoe zijn ademhaling versnelt. Ze laat haar vingers over de stof van zijn t-shirt glijden en voelt zijn buikspieren samentrekken. Hij kust haar lippen weer en zijn tong zoekt de hare. Ze beantwoordt zijn kus zo gretig, dat hun tanden even botsen. Zijn handen zijn ineens overal. Op haar billen, over de gladde stof van haar zwarte broek, onder haar hemdje op haar blote buik. Ze hapt naar adem als ze voelt hoe koud zijn vingers zijn, maar tegelijkertijd heeft ze het bloedheet. Haar handen verdwijnen onder zijn shirt en ze strijkt langzaam met haar duimen langs de rand van zijn spijkerbroek. Hij kreunt en ze stuurt hem al kussend in de richting van de bank, maar hij heeft andere plannen. Voordat ze doorheeft wat er gebeurt, voelt ze de grond onder haar voeten verdwijnen. Hij tilt haar op en neemt haar mee naar de slaapkamer. Hij schopt de deur open met zijn voet en gooit haar op het zachte bed. Hij blijft haar kussen en klemt met één hand haar beide handen boven haar hoofd. Zijn lichaam drukt op dat van haar. Ze is te verbaasd om iets te zeggen of om zelfs maar naar adem te happen. Ze heeft alleen maar vriendjes gehad die lief vroegen of ze haar mochten kussen en ongemakkelijk frummelden aan haar kleding. Malik is zo lief en hartelijk, dat ze dit nooit achter hem had gezocht. En dat maakt het des te opwindender...

Hij laat haar handen even los om haar vest uit te trekken. Ze trekt haar rug hol om het hem gemakkelijk te maken en om hem dichtbij te houden. Ze legt een hand in zijn nek en met haar andere hand trekt ze de rand van zijn shirt omhoog. Terwijl hij haar helpt en zijn eigen shirt uittrekt, trekt zij haar hemdje uit. Als hij haar weer kust, voelt ze zijn gespierde buik op de hare. Zijn huid voelt warm en er trekt een tintelend gevoel vanuit haar tenen door haar hele lichaam. Hij laat zijn handen over haar taille glijden en kust haar nek en gaat steeds lager, in de richting van haar borsten. Een van zijn handen verdwijnt achter haar rug. Voor haar beha-sluiting heeft hij iets langer dan een paar seconden nodig, maar ook die krijgt hij uiteindelijk los. Zijn handen zijn ineens weer overal. Hij kust haar mond en ze trekt haar rug hol en duwt haar lichaam tegen dat van hem. Ze zet haar nagels in zijn rug. Hij ruikt heel lichtjes naar aftershave of parfum. Het ruikt gek genoeg naar leer en regen, terwijl het niet regent en zijn leren jas niet in de buurt is. Al die tijd dacht ze dat zijn jas zo rook, maar blijkbaar heeft zijn parfum die geur. Ze grinnikt even.

'Wat?' zegt hij, terwijl hij haar aankijkt en met zijn hand tergend langzaam van haar navel naar haar broekrand glijdt.

'Niets,' fluistert ze. Ze klemt haar benen om die van hem en hij drukt zijn lichaam tegen dat van haar. Het gonzende gevoel in haar onderbuik wordt steeds sterker. Hij maakt de knoop van haar broek open en trekt hem over haar billen. Ze morrelt aan zijn riem en de knopen van zijn spijkerbroek. Als hij gaat verzitten om zijn broek uit te trekken en tegelijkertijd uit een ladekastje naast zijn bed een condoom pakt, voelt ze heel even, een paar seconden, een flits van onzekerheid. *Ze gaan dit echt doen. Wil ze dit echt doen? Moet ze dit wel doen? Ze kent hem pas net...*

Wanneer hij naar haar kijkt en zachtjes een haarlok uit haar gezicht strijkt, verdwijnt het moment van onzekerheid direct weer. Dit is wat ze wil. Dit is alles wat ze nu wil. Zijn bruine ogen lijken zwart en hij kijkt haar met een intense blik aan. Om zijn lippen speelt een ondeugende glimlach. Ze komt overeind, legt haar handen op zijn schouders en duwt hem op zijn rug. Ze laat haar bovenlichaam over dat van hem glijden en kust zijn hals, zijn borst, zijn mond. Ze vlecht haar vingers in zijn zwarte krullen en verdrinkt in zijn zoen. Ze wil niets liever dan zo opgaan in hem dat ze één worden. Iedere zenuw in haar lichaam staat op scherp en ze voelt elke vierkante centimeter waar hun lichamen elkaar raken. Zijn handen pakken haar billen en hij trekt haar nog dichter naar zich toe.

Het voelt alsof ze in duizenden stukjes uit elkaar is gevallen. Meerdere keren. Haar lichaam voelt zo zwaar dat ze onmogelijk kan opstaan nu. Ze ligt op haar rug. Als ze haar hoofd opzij draait, ziet ze dat Malik op zijn buik ligt. Hij heeft een arm om haar middel geslagen. Het enige licht komt van de straatlantaarn buiten, die door een kier in het gordijn naar binnen schijnt. Ze liggen allebei onder zijn satijnen dekbed en de stof voelt glad op haar blote huid. Ze moet in slaap gevallen zijn. Ze kijkt in de richting van zijn wekkerradio en ziet dat het twee uur is. Ze kan natuurlijk niet naar huis nu. Maar het is zondagavond en ze moet morgen werken. Hij waarschijnlijk ook, maar zou hij enig idee hebben hoe vroeg ze moet beginnen? En ze wil als dat kan nog even naar huis daarvoor...

'Ik heb de wekker op zes uur gezet,' mompelt hij.

Ze ontspant. Met een glimlach sluit ze haar ogen weer.

16

De week erna gaat in sneltreinvaart voorbij. Ze slaapt vaak bij Malik, maar van slapen komt het niet echt. Overdag is ze moe maar gelukkig. Soms staat ze achter de espressomachine en vraagt ze zich af wat er nou ook alweer zo leuk was en dan denkt ze: O, ja! Malik! Het voelt eigenlijk alsof ze iedere dag een beetje jarig is. Iris is blij voor haar en ook Sophie lijkt het helemaal leuk te vinden. Ze heeft Sophie nog wel even bedankt, want zij is degene die ervoor gezorgd heeft dat Malik haar nog een kans wilde geven. Al snapt ze niet helemaal waarom Sophie dat heeft gedaan. Ze blijft denken dat er iets achter steekt, maar zowel Iris als Malik verzekeren haar ervan dat ze het beste met haar voor heeft. Nou ja, dat zal dan wel. Misschien is dit haar manier van sorry zeggen, denkt ze.

Op donderdagmiddag zijn ze alle drie aan het werk. Ze weet het niet zeker, maar het lijkt alsof het de laatste week iets drukker is dan normaal. Er zijn iedere ochtend muffins. Ook staat er op elke tafel een bakje kruidnoten en samen met Sophie heeft Laura de ramen versierd in Sinterklaasstijl. Luigi wilde er eerst niets van weten, maar ze verzekerden hem dat Barista! er niet uit zou gaan zien als een kinderdagverblijf. Ze hebben stijlvolle gouden Sinterklaas-stafjes en chocoladelet-ters op de ramen geplakt. Heel subtiel, maar toch helemaal in Sintsfeer. De Facebookteller staat nu op vijfentachtig en als Laura 's ochtends een foto plaatst van de mand met muffins, lijkt het echt of er in het uur daarna extra veel mensen om de muffins vragen. Ze hebben afgesproken dat ze bij honderd likes met echte Facebookacties beginnen.

De Barista! Singer-Songwriterbokaal is over twee weken. Sophie heeft al twee zangers en een zangeres gevonden en Laura hoopt dat ze minstens vijf mensen vindt, want Luigi blijft maar zeggen dat hij nog wel iemand kent van de fanfare die ook heel goed 'songs kan singen'.

Aan het begin van de middag zijn bijna alle tafeltjes bezet, maar bij de toonbank staan geen klanten. Wanneer Sophie even een rondje doet om te vragen of er nog iemand iets te drinken wil, vraagt Iris haar naar Malik.

'Zijn jullie nu een setje?'

'Een setje? Euh...' Hier heeft ze eerlijk gezegd nog niet over nagedacht.

'Ja, vriend en vriendin, bedoel ik,' zegt Iris, die ondertussen weer een paar muffins op een bord onder de glazen stolp zet. 'Ik bedoel, je bent toch verliefd?'

Ze zucht. 'Ja, jee, Iris... niet van die moeilijke vragen stel-len.'

'Dat is toch geen moeilijke vraag? Je weet toch wel of je verliefd bent of niet?'

'Zo makkelijk is dat niet.'

'Je bent toch wel eens eerder verliefd geweest?'

Ze denkt hier even over na. 'Ja. Op Nick.' Nick is deze week weer een paar keer bij Barista! geweest. Steeds als hij er is, kijkt hij Laura met samengeknepen ogen aan. Alsof hij zich probeert te herinneren waar hij haar van kent. Ze heeft tot nu toe nog niets gezegd. Ze vindt het wel een grappig spelletje. Maar de verliefdheid op Nick vroeger was anders. Het was een verliefdheid op afstand. Ze kreeg knikkende knieën als hij langsliep en deed er drie jaar over om moed te verzamelen om hem aan te spreken. Een paar jaar terug had ze een tijdje een vriend op wie ze ook verliefd was. Denkt ze. 'En op Tim,' voegt ze daarom toe.

'O, ja!' zegt Iris. 'Die weirdo. Wat is daar ook alweer mee gebeurd?'

'Die verhuisde naar Mexico omdat hij zich meer verbonden voelde met de Azteken dan met de Europeanen. En het was geen weirdo. Gewoon een hele fanatieke student Latijns-Amerika studies.'

'O, ja.' Iris fronst en kauwt op haar lip. 'Maar ben je nu verliefd?'

'Ik weet dat ik nu heel blij word van Malik. Dat is toch genoeg?'

In de pauze besluit ze om in haar eentje een stukje te gaan lopen. De afgelopen dagen zijn in zo'n slapeloze roes voorbij gegaan, dat ze geen moment voor zichzelf heeft gehad. Geen minuut om even na te denken over dingen. Het is ijskoud. Het heeft deze week gevroren 's nachts en in de actualiteiten-programma's op tv is het woord 'elfstedentocht' alweer gevallen. Ze zet haar kraag omhoog, begraaft haar handen diep in haar jaszakken en loopt naar de Bijenkorf. Van warenhuizen wordt ze rustig.

Op de roltrap naar de verdieping met woonspullen denkt ze na over wat Iris net zei. Is ze verliefd? Ze denkt vaak aan Malik. Ze voelt kriebels en vlinders als ze denkt aan zijn lach, zijn kus, zijn…alles… Is dat verliefdheid? Of is het blijheid en dankbaarheid dat ze eindelijk weer eens zoiets meemaakt, dat er iemand aandacht voor haar heeft? Als ze tussen de dekbedovertrekken loopt, vraagt ze zich twee dingen af. Ten eerste: is dit het juiste moment om na te denken over of ze wel of niet verliefd is? En ten tweede: wie betaalt er in hemelsnaam driehonderdtwintig euro voor een dekbedovertrek? Bij de geurkaarsen en kandelaren haalt ze opgelucht adem. Hier hoeft ze nu nog helemaal niet over na te denken. Het is nu fantastisch leuk. Malik is lief, de seks is geweldig… Ze moet ervan genieten. Piekeren kan een andere keer wel.

Zelfverzekerd loopt ze weer terug naar Barista!. Binnen loopt ze direct door naar het magazijn om haar jas uit te doen. Onderweg wordt ze tegengehouden door iemand.

'Mag ik je iets vragen?'

Ze kijkt recht in de blauwe ogen van Nick. De jongens met wie hij is, zitten aan hun vaste tafel bij het raam en doen heel hard hun best om niet hun kant op te kijken. Sophie staat achter de toonbank en kijkt verschrikt hun kant op.

'Tuurlijk,' zegt ze, terwijl ze haar jas open ritst.

'Oké,' gaat hij verder. 'Dit klinkt misschien enorm afgezaagd, maar… ken ik jou niet ergens van?' Hij kijkt haar strak aan en lijkt totaal niet nerveus. Nou, dan hoeft zij het ook niet te zijn, denkt ze.

'Je weet het echt niet, hè?' zegt ze.

Hij schudt zijn hoofd. Zijn blonde krullen springen op en neer.

'We hebben zes jaar bij elkaar op school gezeten.'

Hij trekt zijn wenkbrauwen op. 'Niet! Dat had ik heus nog wel geweten hoor...' Hij glimlacht ondeugend.

O, mijn god, hij flirt met me, denkt ze.

'Nou, het is echt zo,' antwoordt ze. 'Je zat in een andere klas.'

'Je bent me nooit opgevallen,' zegt hij.

'Jij mij wel, Nick.' Ze glimlacht. Het lijkt alsof haar romance met Malik haar een nieuwe flirtzekerheid heeft gegeven. Een paar weken geleden had ze waarschijnlijk met een vuurrood hoofd gestameld dat het niet uitmaakte dat hij haar niet herkende. Nu lijkt hij van zijn stuk gebracht. Hij staart haar verbaasd aan en krijgt een blosje op zijn wangen.

'Ik moet weer aan het werk,' zegt ze. Ze loopt door naar het magazijn.

'Maar... hoe heet je?' roept Nick haar na.

Ze draait zich niet om.

De klim naar de vierde verdieping wordt er niet gemakkelijker op. Ze zit uit te hijgen op Maliks appelgroene bank, terwijl hij in de keuken is. Wanneer hij de kamer in komt met twee mokken thee is ze eindelijk weer een beetje op adem gekomen. Ze heeft een zak muffins meegenomen van Barista!. Naast espresso-chocolade-kruidnotenmuffins zijn er nu ook appel-kaneel-havermoutmuffins. Het is moeilijk in te schatten hoe veel er op een dag verkocht wordt, met als bijkomend voordeel dat ze meestal wel iets mee naar huis kan nemen en dat ze de afgelopen weken meerdere malen heeft gedineerd met muffins. Behalve als ze bij Malik at. Goed voor de lijn is anders, maar het traplopen compenseert weer een hoop.

'Muffin?' zegt ze. Hij zet de thee op de koffietafel en gaat naast haar zitten.

'Weer die pepernotendingen?' zegt hij.

'Kruidnoten.'

'Is er een verschil?'

'Ja. Maar ik heb ze ook met appelsmaak vandaag.'

'Doe mij die dan maar. Het is nog niet eens Sinterklaas en ik kan nu al geen pepernoot meer zien.'

'Kruidnoot. Maar daar hou je dus niet van?'

'Niet van een overdosis, nee. Die dingen liggen vanaf september al in de winkel. Wat is er dan nog aan?'

'Augustus. En je kunt nooit te veel van iets lekkers hebben, toch?'

'Daar heb je een punt,' zegt hij met een ondeugende glimlach. Hij trekt haar naar zich toe en kust haar nek. Ze hoort zichzelf giechelen en schrikt er een beetje van. Ze heeft al jaren niet zo gegiecheld. Het klinkt zo schattig en meisjesachtig en… verliefd.

'Hou je helemaal niet van Sinterklaas?' vraagt ze, terwijl ze een hap neemt van haar kruidnotenmuffin.

Hij haalt zijn schouders op. 'Ik heb er niet zo veel mee. We vierden het vroeger op school. Thuis deden we er niets aan.'

'Helemaal niet?' Wat zielig, denkt ze. Ze ziet helemaal voor zich hoe alle kinderen in de klas op zes december hun nieuwe speelgoed lieten zien en Malik helemaal niets had.

'Nee. Maar je mocht altijd je schoen zetten bij de supermarkt. Dat weet ik nog.' Hij lacht als ze ziet hoe beteuterd ze kijkt. 'Je hoeft geen medelijden met me te hebben, hoor. Ik was echt niet de enige in de klas die geen Sinterklaas vierde thuis.'

'O.' Gelukkig, denkt ze. En wat stom van haar. Ze ging er vanuit dat zijn klas er hetzelfde uitzag als haar klas vroeger. Maar Almere is natuurlijk een stuk multicultureler dan een dorp in Overijssel. Ze vraagt nog wat verder door naar zijn jeugd in Almere en ze merkt dat hij dit moeilijk vindt. Toch verandert hij niet van onderwerp. Ze ziet aan hem dat hij dit wíl vertellen, hoe lastig het ook is.

'Mijn vader was altijd aan het werk,' zegt hij. 'En na het werk hing hij met vrienden in het theehuis in de buurt. Mijn moeder en zus hadden een goede band… toen nog wel… maar ik had het gevoel dat ik er alleen voor stond. Mijn moeder en mijn zus hadden elkaar. Mijn vader had zijn vrienden. Ik had gewoon het gevoel dat ik alles in mijn eentje moest doen. En toen… op de middelbare school…' Hij neemt een slok van zijn thee en haalt diep adem. 'Ik ben niet altijd een lieverdje geweest. Ik kreeg vrienden met wie ik iedere avond op straat hing.'

Laura is even stil. 'Nou ja… op straat hangen is niet zo erg, toch?' zegt ze uiteindelijk.

'Op straat hangen, niet, nee. Maar ik heb dingen gedaan waar ik niet trots op ben.'

'Zoals?'

'Ik heb wel eens een scooter gestolen.'

Die nacht kan ze de slaap niet vatten. Ze ligt in bed naast Malik en denkt na over wat hij haar vanavond allemaal heeft verteld. De jongens met wie hij op straat hing, wilden elkaar in alles overtreffen en dat ging steeds verder. Malik zag ze als een soort broers en ging overal in mee. Voor de kick. En om er later over op te kunnen scheppen. Nadat vrienden van hem gearresteerd werden – hij gelukkig niet – zag hij in dat hij helemaal verkeerd bezig was. Hij maakte zijn mavo af en ging in Utrecht naar het Grafisch Lyceum. Iedere keer als hij door de straat bij het park fietste, dacht hij: daar zou ik willen wonen. En hij heeft keihard gewerkt en nu woont hij er gewoon. Daar heeft ze echt bewondering voor. Maar ze kan er gewoon niet over uit hoe anders zijn jeugd was... zo anders dan die van haar. Ze heeft nog nooit iemand ontmoet die iets gestolen heeft. En nu kent ze iemand die een scooter gejat heeft. Sterker nog... ze ligt naast hem in bed.

Het duurt uren voordat ze in slaap valt. In haar droom rijdt Sinterklaas op een gestolen scooter door Almere. Op zoek naar pepernoten.

17

'Laura. Ik herinner me ineens weer dat je Laura heet.'

Laura kijkt op van haar krant. Ze heeft pauze en geen zin om naar buiten te gaan. Binnen is het lekker warm en ze is te moe voor een wandeling. Het is niet heel druk, dus ze zit aan een van de tafels met een broodje en een krant. Nu staart ze recht in het grijnzende gezicht van Nick, die zo vrij is geweest om tegenover haar te gaan zitten. Hij heeft kuiltjes in zijn wangen en kleine sproetjes op zijn neus. Hij draagt zijn gifgroene baseballjack weer.

'Dat heb je aan mijn collega gevraagd,' zegt ze. Iris heeft haar verteld dat Nick kwam vragen hoe 'het meisje met het bruine lange haar, maar niet die met die krullen' heette.

'Betrapt,' zegt hij. Maar hij lijkt zich niet echt betrapt te voelen. Eerder zelfvoldaan.

'Ik heb eigenlijk pauze, nu,' zegt ze. Ze hoopt dat hij de hint snapt. Als haar vijftienjarige 'ik' nu kon zien dat ze Nick wegstuurde, zou ze haar een mep geven.

'Ja, daar hoopte ik al op,' zegt hij. 'Nu kunnen we ongestoord kletsen.'

Ze vouwt haar krant dicht.

'Dus... werk je al lang hier?' zegt hij, wanneer ze niets te-rugzegt.

'Een paar jaar. Het is eigenlijk een tijdelijk baantje.'

'Aha. Wat heb je gestudeerd dan?'

'Ik heb een master Interculturele Communicatie en een master *Conflict Studies and Human Rights*.'

'Zo!' Hij kijkt om zich heen alsof hij bij iemand bevestiging zoekt van zijn verwondering. Maar er is niemand.

'En jij?' vraagt ze. Ze heeft hem wel eens gegoogled en ze weet dat hij ooit aan een studie bedrijfskunde is begonnen. Maar dat kan ze maar beter niet vertellen.

'Ik ben even *in between jobs*. Of *in between* studies eigenlijk.'

'O ja?'

'Ja, joh, ik deed bedrijfskunde, maarre...'

'Te moeilijk?' zegt ze als hij zijn zin niet afmaakt. Ze neemt een hap van haar broodje.

'Zo zou je het kunnen zeggen, ja. Ik heb gefraudeerd met tentamens, dus ik ben niet meer welkom op de uni.' Hij zegt het op terneergeslagen toon, maar ze ziet aan de sprankeling in zijn ogen dat hij er stiekem trots op is. Hij vindt het waar-schijnlijk een goed verhaal voor op feestjes.

'Jammer,' zegt ze bij gebrek aan een beter antwoord.

'Hebben jullie misschien nog een barista nodig?' Hij grijnst van oor tot oor en trekt één wenkbrauw op.

Ze lacht. 'Nee. We hebben net een nieuwe aangenomen. Ze staat nu achter de kassa en ik geloof dat je haar wel kent.' Ze knikt in de richting van Sophie.

Hij schudt zijn hoofd. 'Ze komt me wel een beetje bekend

voor, maar ik kan haar zo snel niet plaatsen.'

'Sophie zat ook bij ons op school. Dat je dat niet meer weet! Wat heb jij gedaan op de middelbare school?'

'Geblowd, voornamelijk. En daardoor blijkbaar een heel leuk meisje over het hoofd gezien.'

Ze merkt dat ze bloost en ze kijkt verlegen naar de tafel.

Luigi loopt vanuit zijn kantoor naar het espressoapparaat. 'Vindt hij ons al leuk?' vraagt hij, wanneer hij langs haar tafeltje loopt. Hij wijst naar Nick.

'Ja, hoor,' zegt Laura. 'Hij vindt ons leuk.'

Op de fiets naar huis, blijft het gesprek met Nick door haar hoofd malen. Hij heeft iets. Hij is een tikkeltje arrogant, maar dat intrigeert haar eigenlijk wel. Hij is anders dan ze zich al die jaren had voorgesteld. Misschien is hij veranderd. Misschien was hij altijd al zo. Maar het feit blijft dat het iets met haar doet. Net nu ze zo gek is op Malik en het zo goed gaat. Ze voelt kriebels als ze aan Malik denkt. En ook als ze aan Nick denkt. Kan dat bij twee mensen tegelijk? Ze schudt de gedachte uit haar hoofd en slaat de mouwen van haar winterjas om haar handen. De kou stijgt naar haar hoofd. Malik is leuk en hij is lief voor haar en nu raakt ze in de war van een arrogant studentje, alleen omdat ze vroeger verliefd op hem was. Ze is zo afgeleid door haar eigen gedachten dat ze bijna een duif aanrijdt die midden op het fietspad zit. Ze ontwijkt hem net op tijd, maar schampt daardoor iets hards. Wanneer ze opzij kijkt, ziet ze niets, maar als haar blik omlaag schiet, ziet ze een geel gevaarte. Het is een ligfiets. Zo'n plastic capsule waar een hoofd uitsteekt.

'Sorry!' roept ze, terwijl ze doorfietst. Zo te zien heeft ze hem niet heel hard geraakt. Hij rijdt nog. De bestuurder maakt boze gebaren naar haar, maar ze gaat echt niet in gesprek met zo'n fietsende banaan. Die man is een gevaar op de weg.

Thuis klapt ze haar laptop open. Terwijl ze wacht tot het apparaat piepend en krakend tot leven komt, kijkt ze om zich heen. Haar huis is echt een gigantische puinzooi. Nog meer dan normaal. Er liggen overal kleren, tassen en ongeopende enveloppen. Haar koffietafel staat vol met bekruimelde bordjes en gebruikte mokken. Er staat een wasrek met kleren en handdoeken die al zeker een week droog zijn. Ze zucht en wrijft met haar handen over haar slapen. Ze heeft hoofdpijn.

Op de Facebookpagina van Barista! zijn er weer likes bijgekomen, waaronder eentje van Nick. Hij heeft haar ook een persoonlijke Facebookuitnodiging gestuurd. Ze laat het pijltje van haar muis tussen 'accepteren' en 'weigeren' zweven. Ze klikt nergens op en klapt haar laptop weer dicht. Het is de bedoeling dat ze hier snel even wat spullen pakt, wat eet en dan naar Malik vertrekt. Maar het is koud buiten en ze is moe en ze heeft hoofdpijn. En het wordt bovendien wel eens tijd om die zwijnenstal hier een beetje op orde te krijgen. Om eerlijk te zijn, heeft ze gewoon zin om een beetje te rommelen in huis, een warme douche te nemen en een avond onder een deken op de bank te liggen voor de tv. Zou Malik het erg vinden? Ze is nu vijf dagen achter elkaar bij hem geweest. Ineens krijgt ze het gevoel dat dat eigenlijk een beetje overdreven is. Als ze dit van iemand anders zou horen, zou ze direct roepen dat die persoon niet zo hard van stapel moet lopen en dat je best een avondje voor jezelf mag af en toe. Maar het is gewoon zo gelopen deze week. Ze wíl hem zien iedere dag. Ze wil bij hem zijn. En hij bij haar. Maar vanavond even niet. Ze belt hem en gelukkig is hij heel begripvol en lief als ze uitlegt dat ze moe is en even een avondje thuis wil zijn. Morgen is het zaterdag en voor de verandering heeft ze het hele weekend vrij. Malik had echter al plannen, dus ze zien elkaar maandag pas weer. Even voelt ze een steek in haar hart. Moet ze niet gewoon nu op de fiets springen en naar hem toe gaan? Ze zien elkaar nu bijna drie dagen niet! Maar dan spreekt ze zichzelf streng toe. *Tijd voor jezelf nemen, Laura.*

Na een lange, warme douche is haar hoofd leeg. Ze heeft zin in een dom televisieprogramma. Ze trekt een deken over zich heen en valt in slaap tijdens een realityprogramma over een stel losgeslagen, feestende Britse aso's op MTV.

Met Iris door een bakwinkel lopen is een aparte ervaring. Er is geen gesprek mee te beginnen. Iedere keer als Laura ergens over begint, gilt Iris iets in de trant van: 'O! Een speciale lepel voor *lemon curd*!' of: 'Een macaron-houder! Die wilde ik al heel lang!'

Achter in de winkel is een leestafel met kookboeken. Wanneer Laura een vrije stoel spot, rent ze eropaf en neemt ze dankbaar plaats. Ze voelt zich net zo'n man die met alle tassen op een bankje voor de winkel zit te wachten tot zijn vrouw klaar is met het zoeken naar een nieuwe spijkerbroek.

Het Malik-loze weekend verloopt tot nu toe best aardig. Ze is gisteren druk geweest met het schoonmaken van haar huis en vandaag is ze met Iris de stad ingegaan. Ze schuift het boek *500 glutenvrije cupcakes* aan de kant en legt haar telefoon op tafel. Ze opent de berichtjes die hij haar gisteravond en vannacht heeft gestuurd. Hij is op een soort trainingsweekend van zijn werk in de Ardennen en hij stuurde haar gisteravond dat hij haar miste en dat hij wilde dat ze naast hem lag. Ze krijgt het helemaal warm als ze de conversatie terugleest die daarna volgde.

'Hé, zit je hier!' Iris staat naast haar. 'Kom, we gaan koffie drinken.'

Op een zondagmiddag zo vlak voor de feestdagen is het verschrikkelijk druk in de stad. In de koffiebar op de eerste verdieping van de bibliotheek is nog plek. Een meisje met een gitaar is aan het soundchecken. Gelukkig is het niet heel hard en kunnen ze elkaar nog prima verstaan. Ze vertelt Iris over haar gesprek met Nick.

'Ik vind het een beetje een… gladde jongen, als je begrijpt wat ik bedoel,' zegt Iris. Ze roert in haar latte.

'Ja, hij is echt veranderd. Het was altijd een hele alternatieve jongen met een gitaar en nu is het echt zo'n studentje.'

'Maar dat doet er niet toe, want jij voelt niets voor hem.'

Laura slikt.

'Toch?' Iris kijkt haar verbaasd aan.

Ze kan maar beter niet vertellen hoe ze vannacht fantaseerde dat de berichtjes van Malik van Nick waren. Ze kan er niets aan doen. Ze is gek op Malik en ze wil zo graag bij hem zijn, maar Nick…

'Ik ben mijn halve middelbare schooltijd verliefd op hem geweest,' zegt ze zachtjes, terwijl ze naar haar cappuccino kijkt.

'Laura! Je hebt zoiets leuks nu met Malik!' Iris lijkt echt een beetje boos.

'Ik kan er gewoon niet bij met mijn hoofd dat uitgerekend Nick ineens Barista! binnen wandelt. Het lijkt wel een boodschap van… van het universum, of zo. Ik bedoel, het is toch te toevallig?'

'Ja, het is heel toevallig. Maar toevallig heb je net een superleuke man ontmoet en toevallig is Nick helemaal niet zo leuk meer tegenwoordig.'

Laura slaakt een diepe zucht. 'Het is toch raar. Jarenlang kom ik geen enkele leuke jongen tegen en nu de een na de ander.'

Iris kauwt op haar lip en denkt na. 'Ik denk dat dat komt doordat je er nu meer open voor staat. Het is net als wanneer je ineens overal zwangere mensen ziet als je daar zelf mee bezig bent.'

'Weet je nog dat ik zei dat mijn liefdesleven op een laag pitje stond en dat jij toen zei dat het pitje uit was?' Ze neemt een slok van haar koffie.

'Laat me raden,' zegt Iris. 'Het pitje is weer aan.'

Laura knikt. 'Ik geloof dat ik 'm op de hoogste stand heb gezet. Maar je hebt gelijk. Ik moet me richten op Malik en Nick negeren.'

Achter hen begint het meisje met de gitaar een liedje te zingen. Laura en Iris luisteren even. Het meisje heeft een zoete, zachte stem en haar muziek doet denken aan Ierse folk. Ze kijken elkaar veelbetekenend aan. Ze denken allebei hetzelfde. Ze gaan haar vragen voor de Singer-Songwriterbokaal.

Luigi komt zwaaiend met papieren de bar binnenlopen. Laura en Sophie zijn er al en Iris heeft vandaag vrij. Ze gaan over tien minuten open en Laura zet de lading muffins in de oven die ze vanochtend bij Iris heeft opgehaald.

'Het gaat de goede kant op!' zegt Luigi. Hij wijst naar de papieren. 'Ik heb dit weekend met de boekhouder overlegd. Er zit een stijgende lijn in. We zijn er nog niet, maar we hebben meer omzet gedraaid in de afgelopen weken.'

'Zie je nou wel!' zegt Laura met een glimlach. Ze is echt blij voor Luigi. En voor zichzelf. 'Het komt heus wel goed.'

'Ik weet het niet, ik weet het niet.' Luigi fronst. 'Ik heb met de meeste leveranciers een regeling kunnen treffen, maar niet met allemaal. Het wordt lastig...'

'Positief blijven, Luigi,' zegt Sophie.

'Je hebt gelijk,' zegt hij. 'We moeten de moed erin houden!'

Met een verhit hoofd loopt hij naar het magazijn. Die arme man heeft het altijd warm, denkt Laura.

Een half uur later staat er voor beide kassa's een rij. Luigi loopt de rij langs en knoopt met iedereen een praatje aan.

'Heeft u Facebook?' vraagt hij aan de vrouw in mantelpak. Laura is blij dat hij doorheeft dat hij beter niet meer zomaar kan vragen of iemand Barista! leuk vindt.

Wanneer de voordeur opengaat en ze de zwarte krullen en leren jas van Malik ziet, wil ze het liefst een vreugdedansje doen en als een klein kind op en neer springen. Haar hart maakt een blije salto en ze wil niets liever dan op hem af rennen en hem om zijn nek vliegen. Hij ziet haar nu ook en ze ziet aan alles bij hem dat hij precies hetzelfde wil. Er staan helaas vijf wachtenden voor hem. Er trekt een gevoel van opluchting door haar heen. Ze was even bang dat haar gevoelens voor hem er niet zouden zijn als ze hem zou zien, maar niets is minder waar. Ze maakt twee cappuccino's voor de volgende klant en wanneer ze zich weer omdraait, is het alsof ze dubbel ziet. Maar dan in negatief. Ze knippert met haar ogen. In de rij achter Malik staat een meisje en daar achter staat Nick. Hij merkt haar op en grijnst naar haar. Malik glimlacht ook nog steeds naar haar. Ze weet niet hoe ze moet reageren want als ze naar de een lacht, zal de ander denken dat het voor hem is, en omgekeerd. Ze zijn even lang, ziet ze nu. Malik is iets breder. Zijn krullen zijn dikker.

Ze haalt een keer diep adem en concentreert zich op de volgende klant. Waarom kan Nick niet gewoon verdwijnen? denkt ze. Uit Barista!, uit haar herinneringen, uit haar hoofd…

Wanneer Malik aan de beurt is, lacht hij naar haar. Zijn ogen sprankelen.

'Ik heb je gemist,' zegt hij.

Ze voelt het bloed naar haar wangen stijgen. 'Ik jou ook,' zegt ze. Het is zo ontzettend druk, dat het ongepast zou zijn om hem over de toonbank heen een kus te geven. In plaats daarvan legt ze haar hand even op de zijne. Ze geeft Malik zijn koffie en een muffin en ze spreken af dat ze vanavond naar hem toe gaat. Ze kan echt niet wachten op het moment dat hij haar in zijn armen neemt en dat hij haar kust... Ze is Nick helemaal vergeten. Pas wanneer Malik de deur achter zich dicht trekt, kijkt ze weer naar de klanten. Ze helpt de vrouw die achter Malik stond en daarna staat Nick voor haar neus.

'Goedemorgen Laura,' zegt hij met een ondeugende grijns.

'Goedemorgen,' zegt ze. 'Jij bent vroeg voor iemand zonder werk en studie.'

'Ha! Dat heb je goed opgemerkt. Maar ik heb zo een sollicitatie. Mijn ouders dreigen de geldkraan dicht te draaien, dus het wordt tijd dat deze jongen een keer gaat werken.'

Hij praat zo hard dat Sophie het ook hoort. Laura ziet hoe haar collega met haar ogen rolt.

'Twee euro tachtig,' zegt ze, wanneer ze zijn koffie op de toonbank zet.

'En dat krijg ik niet eens van je?'

'Omdat...'

'Omdat ik je ken!'

'Nee, zo werkt dat niet, Nick. Succes met je sollicitatie.'

'Dank je. Ik hoop je snel weer te zien.' Hij knipoogt naar haar en loopt naar de deur.

18

Ze ligt in bed naast Malik. Zijn wekkerradio vertelt haar dat het vier uur 's nachts is. Ze draait zich op haar zij, zodat ze met haar rug naar hem toe ligt en hij niet wakker wordt van het oplichtende scherm van haar telefoon. Ze klikt de Facebook-app open en accepteert het vriendschapsverzoek van Nick. Ze maakt zichzelf wijs dat ze niets verkeerds doet – het is een oude schoolgenoot, ze heeft officieel niet eens een vriendje – maar diep van binnen weet ze dat ze een grens overschrijdt, zodra haar duim het bevestigende knopje indrukt. Ze heeft geen idee waarom ze dit doet. Malik is geweldig en het was zo fijn om hem weer te zien. Maar ze ligt al uren wakker en ze krijgt Nick niet uit haar hoofd. Ze denkt terug aan het moment gisteren dat ze allebei voor haar in de rij stonden. De jongen met de leren jas en het donkere haar en de jongen met de blonde krullen. Dat beeld krijgt ze niet van haar netvlies. Met wie ziet ze zichzelf samen? Wie past het beste bij haar?

Er knippert een icoontje op haar scherm. Hij heeft haar een chatbericht gestuurd. Haar hart bonst in haar keel als ze het bericht opent.

Zo, daar moest je lang over nadenken... ;)

Ze houdt haar adem in. Wat moet ze doen? Een gesprek met hem beginnen? Om vier uur 's nachts? Terwijl Malik naast haar ligt?

Jij bent nog laat op, typt ze.

In de kroeg met paar vrienden
Op een maandag???
In between jobs, weet je nog... ☺

Ze staart naar haar scherm.

Welterusten koffiemeisje. X.

Met een bonzend hart zet ze haar telefoon uit.

Ze reageert de dag erna verder niet meer op de chatberichten van Nick. Hun nachtelijke gesprekje was een tijdelijke vlaag van verstandsverbijstering. Ze kan het niet maken om met Nick te chatten, terwijl ze iets met Malik heeft.

Het is bijna sluitingstijd als Malik samen met Semih Barista! binnenkomt. Ze staat met Sophie en Iris achter de toonbank.

'Ga naar hem toe joh, het is toch rustig,' zegt Iris.

Ze loopt op Malik en mini-Malik af. Hij heeft geen kinderwagen bij zich en draagt hem op zijn arm. Hij geeft haar een kus.

'Semih, dit is Laura, over wie ik je net vertelde,' zegt hij. 'Laura, je kent Semih vast nog wel.'

'Hoi Semih,' zegt ze. Semih lacht en klapt in zijn handjes.

'Kwek kwek,' zegt hij. Ze volgt zijn blik en ziet dat hij een tijdschrift ziet met een plaatje van een eend erop.

'Goed zo!' zegt Malik enthousiast. 'Ik probeer hem alle dierengeluiden te leren. Wat zegt een hondje, Semih?'

'Woef!' zegt het jongetje.

Laura lacht. Het is aandoenlijk. En ze is blij dat Maliks neefje alleen dierentaal praat, zodat hij zijn oom niet kan vertellen dat dit die mevrouw is die hen laatst achtervolgde. Ze zoekt nog een moment om op te biechten aan Malik dat ze niet in de buurt van zijn zus woont. Het excuus dat ze tot nu gebruikt om steeds bij hem af te spreken, is dat ze heel klein woont. Wat niet eens gelogen is.

Malik moet Semih naar huis brengen, dus hij moet er snel weer vandoor. Hij geeft haar nog een kus en ze loopt weer naar Iris en Sophie, die allebei kijken alsof ze een nest jonge katjes zien.

'O, Laura.' Iris legt haar hand op haar hart. 'Hij is zo schattig met zijn neefje.'

Ook Sophie glundert helemaal. 'Hij is echt superleuk met kinderen. Dat zegt echt iets over hem.'

Laura is het daarmee eens. Maar Malik met een kind op zijn arm... dat is iets wat ook heel ver van haar af staat. Ze vindt het schattig en leuk, maar het komt ineens wel heel dichtbij. Ze slikt.

'Ik weet niet eens of ik wel kinderen wil,' zegt ze zachtjes. 'Nog lang niet, in ieder geval.'

'Je weet toch ook helemaal niet of hij dat wil. Het is zijn neefje, niet zijn zoon,' zegt Sophie.

Sophie heeft een punt, maar het voelt ineens heel benauwend. Alsof ze geen adem krijgt.

Die avond zit ze naast Malik op de bank. Hij is aan het klooien met zijn telefoon en ze kijkt naar hem. Wie is deze man naast haar? Een harde werker, goed met kinderen... een voormalig crimineel. Ze voelt zich tot hem aangetrokken en hij is zo ontzettend lief. En sexy. En dan is er Nick. Met Nick had ze nu niet op de bank gezeten, dat weet ze zeker. Ze hadden waarschijnlijk in een café gezeten of op een of ander feest gestaan. Hij leidt nog dat onbezorgde leventje van stappen en de volgende dag brak werken of studeren, dat ze af en toe best een beetje mist. Ze vraagt zich af of ze twijfelt over Malik. Maar als je twijfelt over of je twijfelt... dan is dat ook niet goed, toch? Gaat dit niet allemaal veel te snel?

'Wat is er?' zegt Malik, terwijl hij haar aankijkt. 'Gaat het wel goed?'

'Er is niets,' zegt ze. 'Malik, ik denk dat ik vanavond thuis slaap. Ik slaap hier niet zo goed en ik ben heel moe en het is zo druk bij Barista! de laatste week...'

Het erge is dat hij ontzettend lief reageert. Hij maakt zich zorgen om haar en ze moet hem beloven dat ze vroeg naar bed gaat. Op de fiets naar huis snijdt de wind in haar gezicht en komen de tranen. Ze heeft het gevoel dat alles uit haar vingers glipt. Het is te veel. Ze weet niet of ze nu al een keuze wil maken. Een keuze voor Malik, voor Nick... voor wie dan ook.

Thuis gooit ze haar jas over een stoel en loopt ze de keuken in. Omdat ze dacht dat ze bij Malik zou eten, heeft ze niets in huis. Maar ze heeft toch geen honger. Ze zet een kop thee en gaat aan haar kleine eenpersoons keukentafeltje zitten. In de fruitmand liggen een verrotte appel en een beschimmelde banaan. Ze sluit haar ogen en haalt diep adem. Ze weet niet eens precies waarom ze net weg is gegaan bij Malik. Het werd haar gewoon te veel allemaal. Het leek ineens zo serieus, zo met zijn tweeën op de bank. Wil ze dat? Nu al? Zo'n leven als dat van Iris en David? In een koophuis met mooie spulletjes? Wil ze niet liever de kroeg in met Nick en zijn vrienden? Even twijfelt ze of ze Iris zal bellen. Maar die is zo dol op Malik dat ze nu al weet wat ze gaat zeggen. Dat ze gek is en dat ze een leuke man laat schieten.

De dagen daarna houdt ze afstand. Ze gaat met Malik lunchen op haar vrije dag, maar ze blijft niet bij hem slapen. Ze voelt zich nog steeds tot hem aangetrokken en eigenlijk wil ze niets liever dan met hem mee naar huis, maar als ze twijfelt... of als ze twijfelt over of ze twijfelt... moet ze dat niet doen, vindt ze. Hij merkt dat er iets aan de hand is, maar ze zegt hem weer dat ze moe is. Iris heeft intussen ook door dat er iets is.

'Gaat het wel goed met jou en Malik?' vraagt ze, als ze samen pauze hebben.

'Nou ja,' antwoordt ze. 'Ik twijfel of ik twijfel.' Ze lopen samen over de gracht. Het is stervenskoud, maar Iris wil per se even naar een schoenenwinkel om pantoffels te kopen.

'Niet!' zegt ze. 'Waarom twijfel je? Je denkt toch niet nog

steeds aan Nick? Hij was er gisteren. Hij vroeg nog naar je.'

'Wat heb je gezegd?'

'Dat je vrij was. Wat zou ik anders moeten zeggen?'

De warmte van de schoenenwinkel vormt een te groot contrast met buiten. De verwarming staat hier echt te hoog, denkt Laura. En het stinkt er naar goedkoop leer. Ze maakt haar sjaal los en ritst haar jas een stukje open.

'Ik denk niet aan Nick,' zegt ze uiteindelijk. 'Nou ja, een beetje. Ik weet gewoon niet of ik mezelf wel met iemand als Malik zie. Ik blijf erbij dat een jongen als Nick meer mijn type is.'

'Laat dat beeld toch een keer los, Laura. Het gaat er toch om of het gevoel er is, niet of hij aan je eisenpakket voldoet?'

'Ik heb geen eisenpakket.' Ze is verontwaardigd. 'Nu klink ik net als zo'n gefrustreerde dertiger die klaagt dat er geen leuke mannen zijn en die het iedere keer uitmaakt omdat hij het dopje niet op de tandpasta doet.'

'Wat overigens heel irritant is,' zegt Iris, die in een bak Spaanse sloffen naar haar maat zoekt.

'Maar serieus, Iris, ik schrok gewoon van de dingen die hij mij vertelde over zijn verleden. Hij is zo anders dan ik.'

'Ja, maar dat ligt toch achter hem? En geef toe, Lau, die Nick is echt een sukkeltje. Wat doet hij eigenlijk? Studeert hij nog?'

'Nee, hij is van de uni getrapt. Hij studeerde bedrijfskunde, maar hij heeft gefraudeerd met tentamens, of zo.'

Iris spert haar ogen open en kijkt haar verbaasd aan. 'Dat meen je niet,' zegt ze. 'Daar heb ik David over gehoord en dat is ook in het nieuws geweest. Een groepje jongens heeft de computer van een docent gehackt en tentamens gejat.'

'O,' zegt ze.

'Volgens mij moeten ze zelfs nog voor de rechter verschijnen.' Iris heeft de Spaanse sloffen inmiddels terug gelegd en zoekt nu in een bak met pantoffels in de vorm van giraffenhoofden.

'O, jee, de rechter?'

'Ja, natuurlijk!' antwoordt Iris verontwaardigd. 'Het is diefstal. En hoe kun je die scooter van Malik nou wel erg vinden en frauderen met tentamens niet?'

'Nou ja, ik zag het gewoon als een studentengrap,' zegt ze zachtjes. Maar Iris heeft gelijk natuurlijk. Het is net zo goed diefstal. En het is misschien nog wel erger ook.

'O en Iris,' voegt ze toe. 'Die giraffensloffen...'

'Ja?' Iris kijkt haar vragend aan.

'Niet sexy.'

Wat Iris zei, blijft de rest van de dag door haar hoofd malen. Als het gevoel er is... maakt het dan nog uit of Malik haar type is of niet? En ze weet van zichzelf dat ze niet op arrogante types als Nick valt. Ze had gewoon zo graag gewild dat haar grote middelbare-school-liefde een lieve, charmante jongen was. Maar dat is hij niet. Die nacht slaapt ze slecht. Als ze de volgende ochtend wakker wordt, snapt ze het ineens. Die lieve, charmante jongen waar ze naar op zoek is... Dat is Malik. Haar perfecte vriend kwam in een andere verpakking dan ze had verwacht, maar wat maakt dat in hemelsnaam uit? Ze begint zich langzaam te realiseren wat een ongelooflijke sukkel ze is dat ze Malik zo op afstand houdt. Ze wil niets liever dan naar hem toe vanavond en hem vertellen dat ze echt iets voor hem voelt en dat ze met hem verder wil. Tijdens het werk die dag kan ze aan niets anders denken. Als het die middag even rustig is, rent ze stiekem naar het magazijn. Ze haalt haar telefoon uit haar jaszak en stuurt Malik een berichtje dat ze hem mist en dat ze vanavond bij hem wil slapen. Vermoeidheid of niet… Hij stuurt haar gelijk een berichtje terug dat hij haar wel komt halen van haar werk en dat ze misschien wel uit eten kunnen gaan. Ze glimlacht als een verliefde puber naar haar telefoon. Een golf van opluchting trekt door haar heen. Ze voelt letterlijk hoe haar schouders zich ontspannen en hoe haar hoofdpijn wegtrekt. En nu ze toch met haar telefoon bezig is, kan ze net zo goed meteen iets anders belangrijks doen. Ze opent Facebook en verwijdert Nick als vriend. Opgeruimd staat netjes.

Malik is er al om kwart voor zes. Hij zit aan een tafel vlak bij de toonbank met een kop thee. Iris brengt hem een appelmuffin, terwijl Laura zo snel mogelijk de vaatwasser inruimt. Ze wil niet dat Malik te lang moet wachten straks. Maar ze zijn waarschijnlijk snel klaar. Er zitten alleen nog een paar jongens met laptops bij het raam, dus ze kunnen al een beetje beginnen met opruimen.

Wanneer de voordeur een minuut voor sluitingstijd openzwaait, is haar eerste gedachte: shit, de apparaten staan net uit. Haar tweede gedachte is: O, mijn god. Dit meen je niet.

Het is Nick.

19

'Heeeeeee Laura.' Nick zwalkt naar binnen en ze ruikt van een afstand al een bierlucht. Hij heeft gedronken. 'Haar naam is Laura, een hele lieve meid...' zingt hij. 'Ken je dat liedje?' zegt hij tegen Malik als hij langs hem loopt.

Malik glimlacht met zijn lippen op elkaar.

Laura staat nog steeds achter de kassa. Het voelt alsof er ijswater door haar aderen stroomt en alsof haar voeten van lood zijn. Nick moet hier weg. En wel nu. Maar het lukt haar niet om te bewegen of om iets te zeggen.

Iris loopt op hem af. 'We gaan zo sluiten,' zegt ze, terwijl ze zijn arm pakt.

Hij rukt zich los. 'Maar jullie zijn nog open. Ik wil alleen even iets vragen aan Laura.' Hij loopt naar de kassa en legt zijn handen op de toonbank.

'Laura,' zegt hij. 'Waarom... wáárom... heb jij mij van Facebook gegooid? Ben ik soms niet goed genoeg voor je? Hè?' Hij kijkt om zich heen.

'Je hebt gedronken,' zegt ze zachtjes. 'Ga je iets bestellen? Anders moet ik je vragen om weer weg te gaan.'

'Ja, ik heb gedronken, ja. En het is nog niet eens zes uur.

Maar waarom Laura… we hadden zo leuk gechat samen maandagnacht.'

'Nick,' zegt Laura fel. Ze ziet hoe Malik zijn thee neerzet en opstaat.

'Is er soms iemand anders? Is dat het? Want ik dacht dat je vrijgezel was,' gaat Nick verder.

'Je moet gaan nu,' zegt Laura.

'Maandagnacht?' zegt Malik, die nu naast Nick staat.

'O… ben jij het vriendje?' zegt Nick, die zich omdraait naar Malik. Hij lacht. 'Ja, maandagnacht hebben we nog gezellig gechat.' Hij kijkt weer naar Laura. 'En je had toen ook wel kunnen zeggen dat je een vriend had.'

'Hij is mijn vriend niet,' zegt Laura. 'Ik bedoel, toen nog niet. Nu wel… ik…'

'Dus maandagnacht was het je vriend niet en nu wel?' Nick zet zijn handen weer op de toonbank en leunt voorover. Om zijn blauwe irissen zitten rode streepjes. 'Dat gaat snel bij jou.'

Malik draait zich om en loopt met grote passen naar de deur. Laura rent zo snel als ze kan achter de toonbank vandaan. Dit keer laat ze hem niet zo gemakkelijk ontsnappen.

'Malik!' roept ze. Hij trekt de deur open en loopt de straat op. Ze loopt hem achterna. Het is al donker buiten. De straatverlichting werpt kleine cirkels geel licht op het natgeregende asfalt.

'Malik!' roept ze nog een keer. 'Loop nou niet weg.'

Hij draait zich om en ze schrikt van de blik in zijn ogen. Hij kijkt zo ontzettend verdrietig.

'Malik, dit is niet wat je denkt. Ik heb niets met Nick en ik had niets met Nick.'

'Heb je maandagnacht, terwijl je naast mij lag, met hem gechat?'

Ze sluit haar ogen en zucht.

'Ja, dus. Weet je, Laura, ik dacht dat wij iets bijzonders hadden.'

'Dat hebben we ook. Dat besef ik nu ook. Ik wil zo graag bij je zijn...' De wind snijdt door haar blouse heen, maar ze voelt de kou niet.

'Ga naar binnen, je bevriest,' zegt hij. Hij draait zich om en loopt weer verder.

'Malik, je kunt nu niet weglopen,' zegt ze wanhopig. Ze rent hem achterna en pakt zijn elleboog. Hij draait zich met een ruk om.

'Je twijfelt. En blijkbaar niet alleen over mij,' zegt hij kalm.

'Ik niet. Ik wilde hier voor de volle honderd procent voor gaan, maar niet als jij er niet hetzelfde over denkt.'

'Dat doe ik wel, Malik... Echt, je moet me geloven. Ik wil ook met jou verder. Maar ik was in de war... over wat je me allemaal had verteld...'

'Ik heb jou over mijn verleden verteld omdat ik dacht dat wij samen een toekomst hadden.' Zijn stem klinkt hees. Zijn ogen glanzen. Hij loopt weg en dit keer laat ze hem gaan. Ze weet niet wat ze nog meer kan zeggen.

In de twee jaar dat ze bij Barista! werkt, heeft ze zich slechts één keer ziek gemeld. Ze had toen ernstige voedselvergiftiging omdat de stroom was uitgevallen en haar koelkast was ontdooid en ze dacht dat ze die zalm nog wel kon eten omdat het in aluminiumfolie verpakt zat. Niet dus. De tweede keer is vandaag. Na de tijd buiten gisteren met Malik, vergeten te eten en een nacht huilen, voelt ze zich 's ochtends verschrikkelijk belabberd. Wanneer de wekker gaat, staat ze met bonzende slapen op en sleept ze zichzelf naar de badkamer. Als ze in de spiegel kijkt, weet ze dat er geen redden meer aan in. Ze heeft opgezette, rode ogen en vlekken in haar nek. Ze is kotsmisselijk, heeft een dikke keel en een loopneus. Zelfs als ze het zou willen, kan ze de klanten vandaag zo niet onder ogen komen. Luigi is gelukkig erg begripvol aan de telefoon. De zondagen in november zijn altijd druk en ze wil hem niet teleurstellen, maar gelukkig zijn Sophie en Iris er vandaag ook en Luigi kan bijspringen als het echt te druk wordt. Ze gaat haar bed weer in en hoopt dat ze kan slapen.

Het duurt even voordat ze doorheeft wat het aanhoudende trilgeluid is. Ze houdt haar ogen gesloten en pakt op de tast haar telefoon van het kussen naast haar. Op het scherm staat het lachende hoofd van Iris. Ze neemt op.

'Mmm.'

'Hé, ik sta voor je deur. Doe even open,' zegt haar vriendin.

'Wat?'

'Ik sta voor je deur. Doe open.'

Het klinkt als een bevel waar ze weinig tegenin kan brengen. Ze heeft ook helemaal geen zin om met iemand in discussie te gaan. Ze hangt op en zwaait haar benen over de rand van het bed. Haar roze badjas hangt over een stoel. Ze trekt hem aan, sjokt de trap af en trekt de deur open. Iris is niet alleen.

'Iris. En Sophie. Ook nog eens,' mompelt ze.

Zonder verder nog iets te zeggen, draait ze zich om en loopt ze de trap weer op. De twee barista's lopen haar achterna. Ze gaat zitten op de bank, terwijl Iris de gordijnen opengooit en Sophie ongemakkelijk plaatsneemt op een stoel.

'Zo,' zegt Iris, die met haar handen in haar zij in het midden van Laura's kleine woonkamer staat. 'Ik heb soep mee voor je. En tien muffins en chocola.'

'Dank je,' mompelt Laura. 'Normaal is het hier niet zo'n zooitje,' zegt ze tegen Sophie, die als en verschrikt vogeltje op het randje van haar stoel zit, omdat er een berg kleding op ligt.

'Dat is niet waar. Het is hier altijd een zooi,' zegt Iris, die om zich heen kijkt. Ze neemt plaats op de bank, naast Laura.

'Wil je vertellen wat er is gebeurd?' zegt ze.

'Er valt niets te vertellen, je hebt het allemaal gezien,' antwoordt ze. Ze buigt voorover en legt haar hoofd in haar handen. Ze voelt zich niet alleen ellendig, maar ook licht in haar hoofd.

'Hier,' zegt Sophie die een muffin neerzet op de koffietafel. 'Eet op. Als je niet eet, ben je straks echt ziek.'

'Ik bén echt ziek,' zegt ze.

'Maar wat is er nou gebeurd?' vraagt Iris nog een keer.

'Ik heb alles verpest,' snikt ze, terwijl ze verplicht een hap van de muffin neemt. Zelfs kruidnoten, chocolade en koffie kunnen haar niet opfleuren nu. 'Ik was in de war, ik dacht dat hij mijn type niet was. En ineens was Nick er... iemand van wie ik dacht dat hij mijn droomjongen was. Het perfecte vriendje.'

'Tja.' Iris kauwt op haar lip. 'Perfect kun je hem niet echt noemen.'

'Ik voel me schuldig,' zegt Sophie. 'Ik wist dat Nick een eikel was. Ik had je moeten waarschuwen. Ik wilde het tegen je zeggen, maar het kwam er gewoon niet van.'

Ze durfde het waarschijnlijk niet te zeggen, denkt Laura. Omdat zij de hele tijd zo bitchy doet tegen haar nieuwe collega. Ook dat heeft ze verpest.

'Op het examenfeest had ik ontzettend veel aan mijn hoofd,' gaat Sophie verder. 'Er waren dingen aan de hand... in mijn familie en met mij... waar ik niet mee om kon gaan. Ik wilde jou daar destijds niet bij betrekken en daarom sloot ik jou buiten. Ik wilde die avond vroeg naar huis en toen ik mijn fiets wilde pakken, zat Nick daar. In zijn eentje, te blowen. Ik zal je niet vervelen met de details, maar hij sloeg een arm om me heen en kuste me voordat ik doorhad wat er aan de hand was. Ik brak de kus af, maar toen had jij ons al gezien. Nick heeft me daarna echt gestalkt en toen ik niet inging op zijn toenaderingen, heeft hij allerlei roddels over mij verspreid en iedereen verteld dat ík achter hém aanzat.'

Laura zucht. Ze merkt dat dit iets is wat Sophie al heel lang wilde vertellen. Maar waarom heeft ze dit acht jaar geleden niet verteld? Waarom nu? Ze ziet aan alles dat Sophie de waarheid spreekt en ze voelt zich ineens schuldig.

'Ik waardeer het dat je dit vertelt, Sophie en het spijt me dat ik zo'n bitch ben geweest tegen je,' zegt ze.

'Dat is lief van je. Het spijt mij dat ik je niet gewaarschuwd heb.'

'Ik weet niet of dat had geholpen,' verzucht Laura. 'Ik bedoel, ik heb hem jarenlang als de perfecte jongen gezien. Zelfs toen bleek dat hij een enorm arrogante droeftoeter was, wilde ik vasthouden aan dat beeld. Ik heb er de hele nacht over nagedacht...'

'En?' zegt Iris.

'Ik denk dat ik zo schrok van mijn gevoelens, dat ik Nick aangreep als excuus om niets met Malik te beginnen. Dat klinkt absurd... jullie vinden me vast raar.'

'Nee, ik snap wat je bedoelt,' zegt Iris. 'Verandering is eng. Vasthouden aan iets vertrouwds is veilig.' Ze staart uit het raam en lijkt even diep in gedachten verzonken. Dan springt ze op. 'Ik ga soep opwarmen en thee zetten en dan bedenken we een plan.'

'Iris, dit is niet een of ander project dat je kunt oplossen met een Excel-bestand,' roept ze haar nog na. Maar Iris is al in de keuken.

Werk is de perfecte afleiding voor haar liefdesverdriet. Als een barista-robot, voert ze alle verplichte handelingen uit. Het lukt haar zelfs om te glimlachen. Het is gewoon een kwestie van haar mondhoeken optrekken. Alle klanten trappen erin. 's Avonds is ze druk met de Facebookpagina of helpt ze Iris met bakken. Alles om maar niet alleen thuis te zijn.

Ze mist Malik. Ze mist hem meer dan ze had verwacht. Hoe

meer dagen er voorbij gaan, hoe meer haar verdriet overgaat in boosheid. Ze is ongelooflijk boos op zichzelf. Hoe heeft ze het zo kunnen verknallen? Iris heeft haar met haar oplossingsgerichte aanpak al duizend voorstellen gedaan. Ze moet hem e-mailen, een ouderwetse brief schrijven, iedere dag een kaartje in zijn bus gooien, een serenade voor hem zingen op de singer-songwriteravond en die op YouTube zetten (als ze zeker wil weten dat hij écht nooit meer iets met haar wil, moet ze dat vooral doen). Maar tot nu toe heeft ze alleen een stuk of twintig keer een e-mail opgesteld en die weer verwijderd. 's Nachts huilt ze zichzelf in slaap en ze is zelfs weer gaan sporten om er maar voor te zorgen dat ze zo moe is dat ze überhaupt in slaap kan vallen.

Eén lichtpuntje in haar leven is dat het echt beter lijkt te gaan met Barista!. De bezoekersaantallen op de website stijgen, de Facebooklikes nemen toe en ze heeft een bevriende journalist overgehaald om volgende week tijdens de Singer-Songwriterbokaal te komen kijken en er een stukje over te schrijven. Nick laat zich godzijdank niet meer zien. Die schaamt zich waarschijnlijk kapot na zijn dronken actie.

Op de dag voor de Singer-Songwriterbokaal vraagt Sophie of ze zin heeft om samen een hapje te eten en daarna te flyeren in cafés.

'Ja, leuk,' hoort ze zichzelf zeggen.

Alles beter dan een avond alleen thuis.

20

In een werfkelder aan een gedeelte van de gracht waar geen
winkels zijn, is een klein cafétje waar je voor tien euro kunt
kaasfonduen. Het is iets wat alleen echte Utrechters weten en
Laura besluit dat het tijd is om dit geheim met Sophie te de-
len. Bovendien heeft ze zin in kaasfondue. Misschien komt
het door de witte wijn of misschien komt het door Sophies
bekentenis van laatst, maar ze hebben zowaar een leuke
avond samen. Ze stikt bijna van het lachen wanneer Sophie
oude docenten en klasgenoten imiteert en even lijkt het of
de tijd heeft stilgestaan en ze verder gaan waar ze acht jaar
geleden waren gebleven. Haar verdriet om Malik is als een
zwerm zeurende bijen voortdurend aanwezig in haar gedachten, maar Sophie zorgt voor genoeg afleiding.

Na het eten duiken ze nog een paar kroegjes in om flyers
neer te leggen. Maar met vijf kandidaten die ook allemaal familie en vrienden mee brengen, zit het waarschijnlijk toch
wel aardig vol. Ze is onder de indruk van wat Sophie allemaal
voor elkaar heeft gekregen. Naast dat de winnaar een strip-
penkaart voor koffie krijgt van Barista! – Luigi's idee uiter-
aard - mag hij of zij bij een klein poppodium in Utrecht het

voorprogramma verzorgen van een concert van een Neder-landse zanger over een paar maanden. Er zit een docent van het conservatorium in de jury en een zanger.

'Wie is die zanger eigenlijk?' vraagt ze aan Sophie als ze om een uur of elf naar hun fietsen lopen, die nog bij Barista! staan.

'Heeft Luigi dat niet verteld?' vraagt Sophie.

'Hij was vergeten wie het was.'

'O, dan is het een verrassing. Iris weet het ook nog niet. Het staat ook niet op de flyers omdat ik niet zeker wist of hij kon komen. Maar hij sms'te me net dat hij het gaat redden.' Sophie staart glimlachend voor zich uit.

'Wie is het dan?'

'Dat zie je vanzelf wel.'

Bij de fietsen nemen ze afscheid van elkaar.

'Tot morgen,' zegt Sophie.

'Tot morgen. En Sophie...' zegt ze. 'Bedankt. Voor van-avond.'

Thuis typt ze een mail aan Malik. Het maakt haar niet uit of hij hem leest of wat hij ervan vindt, maar ze moet dit kwijt. Ze typt dat ze schrok van haar eigen gevoelens, dat ze al die jaren een beeld in haar hoofd had van haar perfecte vriend en dat ze zich nu realiseert hoe stom dat was. Dat ze hem mist. Dat ze waardeert hoe eerlijk hij is over zijn verleden. Dat ze het een grote stap vindt om aan een relatie te beginnen en dat ze dat eng vindt en dat ze daarom twijfelde. Dat Nick een sneue stalkende gesjeesde student is met wie ze in geen miljoen jaar een relatie zou beginnen. En dat ze hoopt dat hij morgenavond naar de Singer-Songwriterbokaal komt of dat ze in ieder geval daarna kunnen afspreken om nog een keer te praten.

De mail is lang en onsamenhangend en totaal niet geschikt om te versturen. Ze kan hem morgen nog een keer doorlezen. Maar wat maakt het ook uit allemaal… Ze drukt op verzend.

Het is zo druk de hele dag dat ze amper de tijd heeft om zich te schamen over de lange, onlogische mail die ze gisteren aan Malik stuurde. Om half zes gaan ze even een uurtje dicht. Het is de bedoeling dat ze om half zeven weer open gaan en dat ze om half acht met de wedstrijd beginnen. Zodra ze de deur op slot draait, valt Luigi voor de toonbank op handen en knieën.

'Luigi,' zegt ze. 'Wat doe jij?'

'Ik probeer de randen van de tapijten aan de vloer vast te maken.' Hij gaat rechtop op zijn knieën zitten en veegt het zweet van zijn voorhoofd.

'Met spijkers?'

'Dat heb ik geprobeerd, maar dat lukt niet. Ik probeer het nu met superlijm.'

Sophie is ondertussen bezig met verschuiven van tafels en Laura loopt naar haar toe om te helpen. Ze zetten alle tafels aan de kant en alle stoelen in het midden en ze maken een plek vrij voor de zangers en zangeressen en hun apparatuur. Helemaal vooraan, aan de zijkant, zetten ze een tafel met drie stoelen voor de jury. Naast de mysterieuze zanger en de muziekdocent, zal Luigi plaatsnemen in de jury. Wanneer er op de deur wordt geklopt, doet Laura open. Het is Iris.

'Hé, ik dacht dat jij pas later zou komen,' zegt ze.

'Ik zat me thuis toch maar te vervelen,' zegt Iris. 'En ik heb eten voor iedereen meegebracht! Daar hadden jullie vast niet aan gedacht. Pompoensoep, salade en Turks brood.'

'Wat lief van je, Iris,' zegt Luigi. 'Ik was van plan om friet of pizza te halen, maar dit is veel beter.'

Wanneer ze tien minuten later aan de jurytafel zitten met een bord soep, neemt Luigi het woord.

'Ik wil jullie ontzettend bedanken, dames. Het betekent zo veel voor me wat jullie allemaal hebben gedaan de afgelopen weken. Ik zag het echt niet meer zitten, maar Barista! heeft echt een *boost* gehad. Ik had veel eerder naar jou moeten luisteren, Laura. Het spijt me.' Hij kijkt haar met een ernstige blik aan.

'Het is al goed, Luigi,' zegt ze. 'Ik kan me voorstellen dat je iets wat altijd goed gewerkt heeft, niet wil veranderen. En hoe staat het er nu voor met de financiën?' vraagt ze voorzichtig.

'Ik ben er nog niet,' zegt hij. 'Ik had gehoopt op een lening van de bank, maar die werkt helaas niet mee. Gelukkig heeft Mario aangeboden om bij hem een lening af te sluiten. Dus ik denk dat Barista! daarmee wel gered is voorlopig. Helemaal als de omzet zo'n stijgende lijn blijft laten zien.'

'Wat fijn, Luigi. Goed nieuws!' zegt Iris. 'Ik ga vast even de hapjes klaarzetten.' Ze staat op en loopt naar het magazijn, waar de hele koelkast volstaat met afgedekte schalen. Iris moet er de hele dag mee bezig zijn geweest, denkt Laura.

Er wordt op de deur geklopt.

'Ah, dat zal Mario zijn. En onze eerste kandidaat!' zegt Luigi vrolijk. Hij staat op en loopt naar de voordeur.

'Wie is die kandidaat?' vraagt Laura zachtjes aan Sophie. Sophie had zelf drie zangers geregeld. Het meisje dat Laura en Iris in de bibliotheek hadden gezien komt ook en Luigi heeft zelf ook iemand gevraagd.

'Ik heb geen idee,' zegt Sophie. 'Een of andere jongen. Ik heb hem de regels uitgelegd. Hij moet twee zelfgeschreven liedjes zingen en zichzelf begeleiden op een instrument. Luigi verzekerde me dat het goed zou komen.'

Luigi doet de deur open en het eerste dat ze zien is de enorme gestalte van Mario. Achter Mario staat een jongen in een lichtblauw trainingsjack. Hij heeft opgeschoren blond haar – met gigantisch veel gel – en een oorbel. Zodra hij Luigi ziet, verschijnt er een grote grijns op zijn gezicht.

'Luigi! Koekwous!' Hij rent op Luigi af en omhelst hem.

'Jongen, hoe is het?' vraagt Luigi.

'Ja, keigoed man. Keigoed.'

Luigi, Mario en de jongen in het trainingsjack lopen naar de jurytafel. Iris is er ook bij komen staan.

'Laura, Sophie, Iris. Dit is Jeffrey. Een getalenteerde jongeman die ik nog ken van mijn tijd bij de fanfare.'

Jeffrey schudt iedereen de hand.

'Heb je een gitaar bij je, of keyboard?' vraagt Sophie.

'Mijn instrument staat nog in de auto. Ik ga hem zo pakken. Ik speel accordeon,' zegt hij.

'O!' roepen Laura en Iris.

'Goh,' zegt Sophie. 'Bijzonder. Ik ben heel benieuwd!'

Jeffrey, Mario en Luigi lopen naar de toonbank. Laura ruimt het eten op en Sophie zegt dat ze op Facebook en op het krijtbord buiten gaat zetten wie er in de jury zit vanavond.

'O, ik ben zo benieuwd,' zegt Iris.

Laura is nu ook wel heel benieuwd.

Vanaf half zeven wordt het steeds drukker. De zangers en zangeressen zijn er allemaal en de muziekdocent is er ook. Luigi verwelkomt alle gasten, Laura en Iris doen hun best om voor iedereen koffie te zetten en Sophie is druk met wat technische zaken.

Om iets voor zevenen verdwijnt Sophie naar buiten. Een paar minuten later komt ze weer naar binnen. Er loopt iemand achter haar aan. Hij is lang, draagt een bruine leren jas en heeft zwarte krullen en donkere bruine ogen. Laura laat van schrik bijna de kopjes vallen die ze net aan het opstapelen was. Haar mond valt open. Ze stoot Iris aan.

'Iris... is dat...'

'O! O, jee. Ja, ik geloof het wel,' zegt Iris.

21

'Laura, Iris,' zegt Sophie, 'dit is Alain.'

'Hoi!' zegt hij. Hij schudt Laura's hand en daarna die van Iris. 'Leuk dat ik erbij mag zijn vanavond.'

Laura is te verbaasd om iets te zeggen. Iris kan ook niets anders dan schaapachtig glimlachen.

'Wil je iets drinken?' zegt Iris uiteindelijk.

'Ja, lekker, doe maar een dubbele espresso,' zegt Alain.

Luigi is er nu ook. 'Sophie! Dit is ons derde jurylid?'

'Ja, zeker. Dit is Luigi, de eigenaar,' zegt ze tegen Alain.

'Aangenaam,' zegt Luigi. 'Eddie Clark, toch?'

'Alain,' zegt Alain.

'Aha, Alain. Kom, ik laat je even zien waar je je jas kunt ophangen. Zing je al lang, Alain?' vraagt Luigi, terwijl hij de zanger meeloodst naar het magazijn.

'Euh…' horen de drie barista's hem nog net zeggen.

'O, mijn god, Sophie!' zegt Iris, als Luigi en Alain in het magazijn zijn. 'Hoe ken jij Alain Clark?'

'Ik heb de backing vocals gedaan op zijn eerste cd,' zegt ze.

'Wat?' zegt Laura. 'Dat wist ik helemaal niet. Ben je ook met hem mee op tour geweest en zo?'

'Nee…euh… dat kon niet.' Ze pakt de espresso van Iris aan. 'Ik ga hem even zijn koffie brengen en ervoor zorgen dat Luigi zichzelf niet al te belachelijk maakt.'

Sophie verdwijnt in de menigte.

'*Holy shit*, wat is die man knap in het echt,' zegt Iris.

Laura lacht. Ze kijkt Iris aan. 'Weet je op wie hij lijkt?' zegt ze.

Iris knikt. 'Het viel mij ook op. Hij lijkt op Malik.'

Het is nog nooit zo druk geweest bij Barista!. Sophies aankondiging op Facebook en op het bord buiten hebben ervoor gezorgd dat het binnen een half uur ineens bomvol zit. Om half acht klinkt er een pijnlijk hoge pieptoon, gevolgd door gekuch van Luigi. Sophie rent op hem af om hem te vertellen dat hij de microfoon niet in de richting van de versterker moet houden.

'Dames en heren,' begint hij. 'Welkom allemaal bij de eerste Barista! Singer-Songwriterbokaal.' Iedereen klapt en juicht. Laura ziet dat hij nerveus is. Hij houdt er niet van om zo in de spotlight te staan. Wanneer hij de juryleden voorstelt, barst er een nog luider gejuich los. Luigi legt uit wat de prijzen zijn, dat de vijf zangers ieder twee liedjes zingen en dat de jury daarna met de uitslag komt.

'En verder,' zegt hij, 'kunt u koffie, thee, fris en hapjes krijgen aan de bar. Mijn drie geweldige barista's Laura, Iris en Sophie zetten de lekkerste koffie van de stad. Komt u hier na vanavond dus ook nog eens terug.'

Wanneer de eerste zanger begint, is het zo druk, dat de ramen zijn beslagen. Iedere stoel is bezet en daaromheen staan nog meer mensen. Tijdens de liedjes neemt de drukte bij de kassa af. Iedereen is muisstil. Een jongen met zwarte stekels begeleidt zichzelf op gitaar en zingt Nederlandstalige liedjes. Het is vrolijk, maar niet heel origineel, vindt Laura. Ondertussen blijft ze naar de voordeur kijken. Af en toe komt er nog iemand naar binnen en iedere keer als de deur opengaat, staat haar hart even stil. Maar het is steeds iemand anders. Malik is er niet.

Het meisje dat ze met Iris in de bibliotheek zag optreden, noemt zichzelf Len. Of misschien heet ze echt zo, dat kan ook natuurlijk. Ze zingt een liedje over een verloren liefde en het is zo ontzettend triest en mooi, dat Laura de tranen achter haar ogen voelt prikken. Haar kabbelende gitaarspel doet denken aan de zee en haar zoete stem zit vol rauwe emotie. Aan het oorverdovende applaus te horen, is ze niet de enige die geraakt wordt door Len. Daarna komt er nog een meisje met een gitaar en een jongen die zichzelf op keyboard begeleidt. Allebei erg mooi. Als laatste is Brabantse Jeffrey aan de beurt. Nog voordat hij überhaupt iets gezegd of gezongen heeft, heeft hij de lachers op zijn hand. Het is ook een grappig gezicht, zo'n jongen in een trainingspak met een accordeon. Jeffrey blijkt de verrassing van de avond. Met een rauwe whiskystem en een Schots accent zingt hij twee prachtige liedjes over het leven. Laura vindt het vooral mooi om de reacties van Mario en Luigi te zien. Ze lijken echt ontroerd.

Na alle optredens wordt er een pauze ingelast voor het juryberaad. Sophie komt ook helpen met de koffie, want het is zo druk dat ze het bijna niet aan kunnen. Mario gaat ondertussen rond met de hapjes die Iris heeft gemaakt. Hoe druk het ook is, Laura blijft naar de deur kijken.

'Ik heb hem uitgenodigd, maar ik weet niet of hij komt,' zegt Sophie, als ze ziet dat Laura opkijkt wanneer er weer iemand binnenkomt.

'Ik heb hem ook uitgenodigd,' antwoordt ze, terwijl ze melkschuim op een cappuccino schenkt. 'Maar ik heb hem zo'n vreemde, lange mail gestuurd gisteravond dat ik denk dat hij nu helemaal op me afgeknapt is.'

Na een half uur koffie en thee zetten en flesjes appelsap en cola inschenken, is ze kapot. Ze is ervan overtuigd dat Barista! in één avond een weekomzet heeft gedraaid. De jury is eruit. Alain neemt het woord. Het geroezemoes in de bar verdwijnt, zodra hij spreekt.

'Ik wil allereerst Luigi bedanken voor deze geweldige avond,' zegt hij. Hij wordt gefilmd door honderd mobiele telefoons, maar hij schijnt het niet erg te vinden. 'Het was moeilijk,' gaat hij verder, 'maar de jury is eruit. Alle vijf de kandidaten hadden iets bijzonders. Maar wij waren alle drie geraakt en ontroerd door de liedjes van de winnaar en dat is waar het om draait bij muziek. Dat het iets met je doet. De winnaar is...' Hij laat een stilte vallen. 'Len!'

Len komt onder luid applaus naar voren. Ze krijgt drie zoenen van Alain. Mazzelaar, denkt Laura. Alain leest voor wat ze heeft gewonnen. Ook wil hij Jeffrey nog even een speciale vermelding geven voor zijn originaliteit. De jury was het er unaniem over eens dat ze nog nooit zoiets gehoord hadden.

Wanneer mensen uit de zaal 'Liedje!' beginnen te roepen, lacht hij.

'Het podium is eerst voor Len,' zegt hij door de microfoon. 'Als ik daarna haar gitaar mag lenen, kan ik nog wel iets zingen. Als jullie dat willen, tenminste.'

Het applaus en gejuich zegt genoeg.

Het is half twaalf geweest als de laatste tafels weer op hun plek staan en Laura de stofzuiger opbergt in het magazijn en haar jas pakt. Ze loopt naar de bar, waar Iris de vaatwasser uitruimt en Luigi in de weer is met superlijm. Dit keer probeert hij een gebroken kopje te lijmen.

'Zullen we die anders gewoon weggooien?' zegt ze lachend.

'Ja, dat is misschien wel een goed idee.' Hij gooit het kapotte kopje in de prullenbak.

Sophie heeft haar jas aangetrokken en komt ook naar de toonbank gelopen. 'Ik ben kapot,' zegt ze. 'Maar het was een fantastische avond.'

'Bedankt Sophie,' zegt Luigi. 'Jullie alle drie. Bedankt voor alles. Het was geweldig.' Hij heeft tranen in zijn ogen. 'Ik beloof jullie dat ik de volgende keer extra personeel inhuur.'

Iris lacht. 'We hebben het gered. Maar een paar extra handen was mooi geweest.'

'Tip voor de volgende keer,' zegt Laura. 'Want die komt er, toch?'

'Zeker weten.' Luigi knikt.

Sophie kijkt op haar horloge. 'Ik moet er echt vandoor. Ik zie jullie morgen,' zegt ze, terwijl ze naar de deur loopt.

Ze zeggen Sophie gedag en Laura ritst haar jas dicht. 'Ik ga er ook vandoor. Iris, jij bent met de auto, toch?' vraagt ze.

'Ja,' antwoordt Iris. 'Ik haal zo de lege schalen uit de vaatwasser en dan ga ik ook. Tot morgen.'

'Tot morgen,' zegt Laura. 'Luigi, het was een topavond.'

Luigi glundert. Ze loopt de koude avond in. Er is niemand op straat. Haar fiets staat een stukje verderop aan een lantaarnpaal. Wanneer ze in haar jaszak naar haar sleutels zoekt, komt er iemand een steegje uitgelopen. Ze kijkt op.

'Hé,' zegt ze verbaasd.

'Hé,' zegt Malik.

'Je bent er. Ik dacht...' stamelt ze.

'Ga je mee, een stukje wandelen?' vraagt hij.

Ze knikt en loopt met hem mee. Ze kijkt opzij, maar ze kan niets opmaken uit zijn blik. Hij kijkt niet boos, niet blij en niet vergevingsgezind. Ze steken de weg over naar de gracht. Malik wijst naar een bankje voor de schoenenwinkel met de lelijke giraffensloffen. 'Zullen we even gaan zitten?' vraagt hij. Ze kijkt hoe de witte wolkjes die uit zijn mond komen verdampen.

Ze knikt weer. Het moet koud zijn, maar ze voelt het niet. Ze gaan zitten.

'Ik heb je mail gelezen,' zegt hij. Ze staren allebei voor zich uit en kijken elkaar niet aan.

Ze haalt diep adem door haar neus. 'Het spijt me,' zegt ze. 'Ik had een wijntje te veel op en ik heb nog nooit zo'n onsamenhangend, vreemd verhaal getypt.'

'Je weet wat ze zeggen over dronken mensen, toch?' zegt hij.

'Dat ze irritant zijn?'

'Dat ze de waarheid spreken.'

Ze zucht. 'Ja, het was misschien een onsamenhangend verhaal, maar het was wel alles wat ik op dat moment dacht.'

'Bedankt voor de tip trouwens, maar ik hou niet van kaasfondue.' Er speelt een klein glimlachje om zijn lippen.

'Heb ik dat erin gezet?' Ze slaat haar koude handen voor haar gezicht. 'O, nee. Ik durfde het niet meer terug te lezen, maar het is nog erger dan ik dacht.'

'Het stond in een PS,' zegt hij. 'En wat de rest betreft... Ik... ik snap wat je bedoelt. Ik snap wat je me in die mail probeert te zeggen. Liefde is niet makkelijk. Liefde laat zich niet sturen of plannen.'

'Staat dat erin?' Ze is verbaasd.

'Dat is mijn samenvatting,' zegt hij. Hij draait zich naar haar om en zij doet hetzelfde.

'Staat er ook in dat ik je mis?' zegt ze zachtjes.

Hij knikt. 'Ik mis jou ook.' Hij buigt voorover en kust haar. Zijn lippen zijn koud. Ze kust hem terug. Ze ruikt leer en regen en de tranen schieten in haar ogen. Ze onderbreekt hun kus.

'Wat is er?' vraagt hij.

'Is dit... is dit een afscheidskus?' stamelt ze. 'Wachtte je daarom op me bij mijn fiets, in plaats van dat je naar binnen kwam?'

'Ik ben niet naar binnen gegaan omdat het letterlijk niet kon. Ik was er om half tien geloof ik, maar het stond zo propvol dat er niemand meer bij kon.'

'En toen heb je al die tijd buiten gewacht?'

'Ik heb een biertje gedronken in de kroeg hier om de hoek. Ik ga geen twee uur op iemand wachten in de kou. Er zijn grenzen.' Hij glimlacht.

'Dus dit is geen...'

'Afscheidskus?' zegt hij. 'Nee. Wat mij betreft is het een 'we-beginnen-opnieuw-kus', zegt hij.

'Alweer,' fluistert ze.

'Alweer. Maar wel voor het laatst hopelijk.'

'Dat beloof ik.' Ze kust hem.

Wanneer ze even later – of nou ja, ruim twintig minuten later – naar haar fiets lopen, slaat hij zijn arm om haar heen.

'Heb je het niet koud?' vraagt hij.

'Een beetje,' zegt ze. Ze hebben afgesproken dat ze vanavond thuis slaapt en dat hij haar morgenavond ophaalt van haar werk. Dit keer gaan ze echt uit eten.

'Weet je, misschien kunnen we morgen na het eten naar jouw huis voor de verandering,' zegt hij. Ze staan bij haar fiets.

'O ja, daarover nog even,' zegt ze. 'Nu we toch opnieuw beginnen, kan ik dit maar beter gelijk opbiechten. Ik woon niet in de buurt van jouw zus. Ik woon aan de andere kant van het centrum.'

'Maar...' zegt hij. 'Waarom kwam ik je daar dan tegen?'

'Tja...euh.. dat was niet geheel toevallig. Ik vond... ik vínd je zo leuk dat ik je achtervolgd heb.'

Hij trekt zijn wenkbrauwen op en zegt niets.

Haar hart slaat op hol. O, nee, denkt ze. Hij trekt dit niet. Hij gaat haar alsnog dumpen.

Dan ontspannen zijn gezichtsspieren en proest hij het uit van het lachen.

'Wát heb je gedaan?' zegt hij.

'Ik… ik wilde je aanspreken en mee uit vragen, maar ik durfde niet en toen bleef ik achter je lopen en voor ik het wist was ik je aan het achtervolgen. Ik vond je gewoon zo leuk en ik wilde meer over je te weten komen.'

Hij slaat zijn armen om haar heen. 'Dat is echt het liefste en het raarste dat iemand ooit voor me gedaan heeft,' zegt hij. 'Dank je.'

'Graag gedaan.'

'Nog meer dingen die ik moet weten?'

Ze schudt haar hoofd. 'Dat was het. Echt.'

Ze maakt zich los uit zijn omhelzing en zoekt in haar jaszakken en tas.

'Shit,' zegt ze.

'Wat is er?'

'Mijn fietssleutels. Ik kan ze niet vinden.'

'Ik hoor iets rinkelen in je jaszak.'

'Dat is de bos met mijn huissleutels en de sleutels van Barista!' zegt ze. 'Ik denk dat ze op de grond zijn gevallen in het magazijn. We hebben nogal wat dingen verschoven vandaag.' Ze grabbelt nog een keer in haar tas, maar ze heeft haar fietssleutels echt niet. 'Ik heb de sleutel en de code van het alarm,' zegt ze, 'dus ik ga wel even naar binnen om te zoeken.'

'Ik ga met je mee.'

Ze draait de sleutel om en loopt samen met Malik naar binnen.

'Dat is gek,' fluistert ze, terwijl ze naar het kastje aan de muur kijkt.

'Wat?'

'Het alarm zit er niet op. Luigi is het in alle haast vast vergeten.'

Ze knipt een kleine lamp aan bij de toonbank. Wanneer ze naar het magazijn loopt, blijft ze ineens staan. 'Ik hoor iets,' zegt ze. 'Het lijkt wel of er iemand is.'

Samen met Malik sluipt ze naar het magazijn. Hij duwt de deur voorzichtig open. Er is niemand. Samen lopen ze naar binnen. Het magazijn is leeg, maar in het kantoortje schijnt licht. Ze kijkt verschrikt naar Malik.

'Misschien is Luigi er nog,' fluistert ze.

'Of misschien is het een inbreker,' fluistert hij. 'Laat mij maar.'

Voorzichtig legt hij zijn hand op de deurklink van het kantoortje. Met één soepele beweging, zwaait hij de deur open.

Haar lippen vormen automatisch een stille O. Ze slaat haar hand voor haar mond.

Er liggen overal papieren op de grond. Maar ook een schort, een vest en een zwart t-shirt. Luigi leunt met ontbloot bovenlijf over zijn bureau heen. Hij is verstrengeld in een hartstochtelijke kus. De ontvanger van zijn zoen zit op de rand van zijn bureaublad en heeft haar benen om Luigi heengeslagen. Haar handen woelen door zijn haar.

Het is Iris.

LEES VERDER OVER LAURA, IRIS EN
SOPHIE IN DE ANDERE BARISTA!-BOEKEN

'Wat een fijn boek! Ben ook zéér benieuwd
hoe het allemaal verdergaat!'
– Lisette Jonkman, auteur van *Glazuur* en *Verkikkerd*

'Sleep de cappuccino's maar aan,
ik vermaak me voorlopig wel met de barista's!'
– Jacky van Dijk, hoofdredacteur *Chicklit.nl*